王朔——著

千万别把我当人

北京出版集团公司
北京十月文艺出版社

目录

第一章

“今天的会议有四个议程。第一由中赛委秘书处秘书长赵航宇同志向各位股东汇报前一阶段中赛委秘书处的工作情况；第二鉴于股东中流传着一些对秘书处几个牵头人不信任的议论，为了打消股东们的顾虑，证明此次大赛确有其事确有必要，我们特意搞到了一盘札幌大赛的录像带，会议休息期间将为各位股东播放；第三个议程是关于中外自由搏击擂台赛组织委员会及其常设机构秘书处易名一事；第四个议程是为使大赛各项工作顺利进行，第三次筹款认捐活动——请各位股东不要提前退席。”

这是个可容纳上千人的剧场，剧场座位上空空荡荡。舞台摆着一张大圆桌，与会者紧紧挨着坐成一圈，一束追光斜射在会议主持人脸上，他是个非常漂亮的小伙子。

追光移动，打在坐在主持人身边的一个头发蓬乱脸色苍白戴着眼镜的男人脸上，他的眼镜反着光使人几乎看不到他的眼睛。从他吐字飞快近乎剧烈咀嚼的嘴部动作看他是个容易激动的人。他就是中赛委秘书长赵航宇。

“关于中赛委秘书处的工作我讲四点。讲完请股东们提问，当面问，递条子也可以，我将一一作答。我回答不了的由秘书处的其他同志解答。首先我要说秘书处的班子是好的，工作是有成绩的。第二我要说秘书处的工作是很辛苦的。在这里我有几个数字要讲给大家听，从秘书处工作开始以来我们上上下下所有工作人员没吃过一顿安生饭没睡过一个安生觉。累计跑过的路相当于从北京横跨太平洋跑到圣弗朗西斯科。共计吃掉了七千多袋方便面，抽了一万四千多支烟，喝掉一百多公斤茶叶。账目是清楚的一笔笔都有交代，没有一分现金是塞到自己腰包里的。第三可能有个别同志煮方便面时卧了几个荷包蛋，熬夜时除了喝茶还喝了些蜂王精，对这种超标准花钱的现象我们应揭发。下面我谈谈我们秘书处近一段的工作情况，也就是最后一点。上次股东大会我们做出了寻找大梦拳传人的决议。会议一结束，我们立即派出了九路人马奔赴五湖四海。截至昨天午夜，九路人马已经回来了八路。这八路人马访遍了三山五岳，全部空手而归。现在我们只能寄希望于第九路了。这一路是由我们秘书处最精干的女将白度率领，出发前，我们也对她下了死命令，不找着大梦拳传人别回来见我！我相信白度同志的能力，只要人在，就是走遍天涯海角白度也能搜出他。但严峻的事实摆在我们面前，我们不能不考虑大梦拳传人已经绝了后的问题。毕竟我们最后一次听到大梦拳传人的消息是九十多年前，是在当时拍摄的义和团壮士被押赴刑场的照片上我们辨认出了大梦拳那时的掌门人。”

赵航宇从桌下举起一只黑皮包，打开，拿出一张放大的黑白照片。照片上是一群衣衫褴褛的拳民在挎腰刀的巡捕押送下排队走向刑场。其中一个袒胸露怀辫子盘搭在脖子上的黑胖子头侧有一个小小的黑色箭头。

“这是我们的情报人员在巴黎卢浮宫翻拍下来的，图中箭头所指的汉子即是当时的大梦拳掌门人，姓氏籍贯一切无考。”

赵航宇把照片递给身边的人依次传看，所有人都打起精神感兴趣地端详着照片上那个粗鲁的汉子。

“像个杀猪的是不是？”赵航宇点起一支烟，问正在看照片的一个头发梳得一丝不苟，戴着金丝眼镜穿着西服的公司经理模样的瘦男人，“你得懂这个，真人不露相。”

“你们是怎么认定他就是大梦拳掌门人的？”瘦男人问。

“我们从四个渠道证实了这一点。”赵航宇掸掸烟灰慢条斯理地说，“首先我们查了清室档案，又翻阅了大量记载义和团在京津一带活动、战斗的外传野史。所有记载都表明在当年义和团闹得最厉害的天津静海曹福田手下有员大将擅使大梦拳，借力制人，洋枪洋炮不能伤其毫发。打紫竹林租界和西什库教堂他都去了，杀死洋人无数。京津地区沦陷后有人还在高家村刘十九的队伍里见过他。后来，这位好汉在北京和大刀王五一同被擒，斩于菜市口。此其一。二，我们通过这张照片找到这张照片上领头的那个巡捕的后人，这个巡捕已经在‘文化大革命’中畏罪自杀了，但在他家里我们找到了《大梦拳谱》，据其后人现在天津市河东区小郭庄大街泰来里125号居民桂雷清讲，这拳谱是当年他先人处斩义和团俘虏时得来的，究竟是哪位不得而知。被俘的义和团拳民不报姓名，只口口声声：‘过二十年后又是条好汉。’有一点可以肯定，他先人只参加过一次杀害义和团壮士的行动，还是被洋枪顶着去的，并被拍了下来。因而这拳谱必是照片上这队人里的。接下来我们又找到了拍摄这张照片的法国传教士波尔佩尔先生的后人，现在的法国驻华使馆随员小波尔佩尔先生。小波尔佩尔先生非常热情为我们开列了他祖父的朋友中那些到过中国的人的名单。最后我们在法国南部的图卢兹找到了仍然健在的前法军军士长拉杜，就是照片上站在队尾的那个穿军服的欧洲人。这老家伙已经一百多岁了，身子骨仍然硬朗，对上个世纪末远征中国的事情记忆犹新，当然他现在对中国人民已经非常友好了。拉杜先生知道我们的来意后，立即将箭头所指的汉子指给我们看，说他就是那个'能改变子弹飞行方向的奇人'。据拉杜先生追述，他曾和大梦拳师打过交手仗，当时他们一排人瞄准他齐射但射出去的子弹竟全齐刷刷地掉头飞了回来当场死了一片洋兵，慌乱中他冲天放了一枪，没想到这枪倒把大梦拳师打个正着，于是他们蜂拥而上将他擒获，穿了锁骨捆起来。"

"可惜，可惜。"一干人齐叹。

"顺便说一句，拉杜先生对其年轻时的所作所为深感愧悔，再三要我们向中国人民转达他的歉意。"

"我有四点问题要问秘书长同志。"一个面色黝黑，模样儿精明的农民企业家冲赵航宇发话："第一，既然大梦拳传人有无尚难定案，我们是否还要继续劳民伤财地寻找？我国武林门类齐全，难道就无可与大梦拳媲美的拳种？阁下死咬着大梦拳不松嘴莫非其中有什么私人关系？第二，既然洋人已和我国重修旧好，为世界和平计，我们是否一定要再启战端？第三，秘书处工作人员统统包圆儿才十余人，工作开始方一周便吃掉七千余袋方便面喝掉一百公斤茶叶实在过于靡费，如此下去我等实难负担，即便断难再降低标准也应裁撤一些胃口过于好的烟瘾过于大的，我们毕竟不是招人来暴吃的。第四，你们去法国外调，为何不安排股东代表领队？"

"我来回答这位代表的提问。"赵航宇严肃地说。"也是四点。第一，我们并没准备吊死在大梦拳一棵树上。在寻找大梦拳传人的同时，我们也与大鹏拳、鹰爪猴拳等各派传人进行了联系，一旦证实大梦拳确已断根儿便请他们出山。另外关于我个人对大梦拳的兴趣纯系出于克敌制胜的考虑其中并无任何私人动机。大梦拳借力制人实乃我千年国粹出神入化之硕果，待会儿看过录像大家就知道了，若拼体力比凶猛我食草民族万难制胜食肉种族——我本人上溯十代均为书香门第。第二，老洋人是熨帖了，小洋人仍咄咄逼人。纵观当今世界，我等万事难与人争，打架再打不出个金牌，祖宗的脸就算让咱们这些不肖子孙丢尽了。”

“国家整个搞上去难。”主持人插话，“十亿人侍候出一个尖子还是可能的。”

“我还没说完呢。”赵航宇不满地白了主持人一眼，对大家说，“不这么干不行了，这一百多年的恶气不找个人替咱们出就出不来了。我是豁出去了，谁能帮咱出这口气我把心窝子掏给他。你没听人外国说：‘一个中国人是条龙，一群中国人是窝虫。’”

“这是夸咱们呢。”

“我说你怎么回事？开头你讲话时我可一次没打断你。”

“对不起对不起，您接着说。”主持人抱歉地低眉含笑让赵航宇，“我只是有点激动。”

赵航宇亢奋地对大家说：“这说明外国人也了解咱中国人的厉害，所以咱们推出这个人能不慎重吗？”

“我们都明白了，这意见我们已经听得很透彻了。”众人一起说，“说下一个问题吧。”

“下一个问题，既然这个人对我们如此之重要，我们为找这个人多吃几袋方便面又有什么了不起？别说吃你几袋方便面，跟你们说实话，我要把这话嚷嚷出去，老子在城里吃馆子都不要钱。”

“我收回，我刚才说的那话收回。”农民企业家说，“吃吧，该吃，只要能吃出个道理来，吃多少我都不心疼。”

“我也就是那么一说，咱们也不能那么干。我这人也就嘴上说点气话，真要把民脂民膏端到咱跟前，咱还真咽不下肚。”

“我们相信你。”大家抚慰赵航宇，“要不相信你们敢把血汗钱交给你去使，眼儿都不带眨的？”

“不是，我就是听着这话难过、揪心。”赵航宇睁着水汪汪的大眼睛透过眼镜片情真意切地望着农民企业家，“好事我什么时候忘过你们？你说去法国没叫上你们，你真是冤枉了我。谁去了？谁也没去，至今我也不知道法国国门朝哪边开。都是听说，中赛委法国分会的同胞传话回来。”

“算我没说，算我没说还不行？”农民企业家拉着赵航宇的手诚恳地说，“你还不了解我吗？咱们多少年了？我就是一个粗人。”

“了解。”赵航宇轻轻拍着农民企业家的手背说，“我不是冲你，我不是生你的气，我是气我自个儿，这么点事我也办不利索。”

“你也别气了。”主持人说，“既然大家把话说开了，那也没事了。咱们还是抓紧进行会议的下一个议程吧，否则演出开始前就完不了啦。”

大家这才注意到后台已经进来了一些乐队人员和舞台工作人员，乐队的乐手们纷纷找了椅子坐下。开始调试乐器，条幕两侧响起一片吱吱呀呀琴弦声，舞台工作人员也开始装景片，打开大灯往天幕上投射。天幕上忽而出现白羊遍地的草原，忽而出现高楼林立的城市。坐在舞台上开会的人都扭过头去看。主持人拍着手说：

“注意了注意了，咱还是认真开会，如果谁对演出有兴趣，会后可以留下来观看。现在进行下一个议程。”

主持人俯首对赵航宇说：“时间比较紧，我看会议休息时间是不是取消？我们一边看录像一边讨论第三个议题关于中赛委和秘书处更名一事？”

“可以。”赵航宇叫站在幕边的工作人员，“把机子架起来，准备播那盘录像。”

工作人员摆机器接电源的空当，赵航宇对大家说：

“通过前一阵的工作，我们发现中赛委和秘书处这两个机构的名称有一些问题，给我们带来了一些不便，有必要重新命名。”

“中赛委这名字不是可以吗？”一个烫着卷花头个体户模样的年轻股东说，“听着挺‘侃’的。”

“问题就出在这里。”赵航宇说。“我们去印章社刻制公章没人敢接活儿，说中央的委员会到我们这儿刻章没有过，有明文规定国玺不能乱刻。怎么说都没用，非要大员的手谕。后来我们一琢磨，也是，这名称成官方了，容易引起误会，不好，咱别找麻烦。我想咱们这个机构还要突出民间色彩自发色彩。我们秘书处的同志想了几个名字，又都觉得不合适，譬如‘醒狮馆’、‘猛龙堂’。名字是很响亮，但没把咱那意思全表达出来，也容易被人当反动会道门取缔。这事还得麻烦大家动动脑子，取好名，要雅俗共赏，一听名就全扑上来。”

众人做沉思状。

“不好起。”农民企业家说，“起名最难了。”

“我想了个上半句，”公司经理说，“你们听听合适不合适，全国人民总动员……”

“忠义救国。”农民企业家说，“全国人民总动员忠义救国。”

“不好，”赵航宇斟酌了片刻严肃地说，“救什么国？救哪个国？国家很好嘛，蒸蒸日上，你这是危言耸听。记住，咱们是民间自娱，国家好了，老百姓吃饱了，才有这份闲心。你如此慷慨地出资认股难道不是因为你不但吃饱了还有很大的富裕？”

“走向世界怎么样？”个体户说，“全国人民总动员走向世界委员会。”

“也不好，含糊。”主持人看着赵航宇的脸色说，“好像已经有个什么二十一世纪委员会了。”

“我看这样吧。”赵航宇豁然开朗，微笑着对大家说，“既然咱们主题表达不清，索性不要它了，就叫全国人民总动员委员会，总动员什么不知道。含糊就含糊点，含糊有含糊的好处，一是别人不好判断你的好歹，二是含义丰富外延无限你说什么都能给归进来有利于团结各阶层人士。”

“还有悬念。”主持人笑嘻嘻地说，“这样好，我同意老赵的意见。”

众人一致表示同意，于是通过了“中外自由搏击赛组织委员会”更名为“全国人民总动员委员会”的决议，简称“全总”。重新组建“全总”主任团的决议。由主任团主持“全总”的一切日常事务。主任团将采取聘任制，设常任主任一人；非常任主任三十人至五十人，由常任主任视工作需要聘任；主任团向股东代表大会负责。首届主任团常任主任由原中赛委秘书长赵航宇担任，大会一致以热烈的掌声予以通过。

“谢谢大家。”赵航宇点头向冲他鼓掌的各位股东代表致意，“我一定用百倍的热情投入工作以不辜负诸位的重托。下面请看录像。”

赵航宇点起一支烟和主持人起立退席。

“你不看吗？”个体户拧着脖子问他。

赵航宇摆摆手：“我看过了，不忍再看。”

架在会议桌一旁的电视闪了一下出现赛车疾驰的画面，接着是一群沿跑道奔跑的赛马，骑师们在马背上撅着屁股；然后画面突然中断，闪了一阵“雪花”，画面再次出现就是万众欢腾的拳击场，无数的男女在发狂地吼，挥舞着手。黑压压的人头之上聚光灯照耀下的拳击台上，一个足有四五百磅重的留着金色连鬓胡子的白种巨人两手攥拳，走向一个精瘦的同样两手握拳的在他面前跳来跳去的黄种汉子。黄汉子灵活地围着白汉子转圈，双手比画着各种将欲出拳的假动作就像一只猴子在虚张声势地恫吓一头步步逼近的狮子。黄汉子出击了，划着拳冷不丁飞脚踢中白汉子的脖子，白汉子被踢得顿了一下，浓密胡须中的鲜红嘴唇咧开微笑继续逼向黄汉子。黄汉子连连飞脚踢向白汉子，白汉子的巨大头颅像拨浪鼓似的被踢得左右扭摆，但微笑始终挂在嘴边，他不时伸出粉红的舌头舔舔嘴唇，嘴唇和嘴周围的胡须在灯光下闪闪发亮。黄汉子雨点般地对白汉子拳脚相加，台下观众的喊声一浪高过一浪，蓦地，喊声骤停，随即以一种更高的频率再次爆发，拳击台上，黄汉子已经昏倒在地，刚才他吃了白汉子的一击重拳。白汉子高高举起肥硕的双臂向欢呼的群众致意。

拳击台上又上来一位黄汉子，无论身高还是体重都和白汉子不相上下，但过于迟钝，被白汉子连连击中，双手捂脸摇摇欲坠几乎被打傻了。终于，坚持了几回合后，像根截断的木桩轰然倒地。

白汉子连连痛击不同身高、体重的黄汉子；有个机灵的黄汉子攥住白汉子的一只手腕，拱背蹲身，意欲来个大背挎，但黄汉子上背后就抡不动了，被白汉子在背上猛擂一顿，趴倒放平。

白汉子举手向欢呼的观众致意。

白汉子缩小成为一个光点、流逝，屏幕变暗，电视关了。

赵航宇和主持人从幕后走了出来，圆桌旁的人一个个悲愤地望着他。舞台上一片静寂，连正在调弦的乐手们也停了下来。

“气人不气人？”赵航宇脸色严峻地望着桌旁的所有人。

“气死人了。”个体户难过地说。

农民企业家脸憋得猪肝一样：“这都什么时候了，他们还这么欺负中国人。”

舞台上的中国人包括那些乐手和舞台工作人员，一个个全都黯然神伤。

“这个毒打我们同胞的胖子是阿尔文·凯勒马戏团的大力士，我们已经通过各种渠道向他发出邀请，请他到中国来旅游。”赵航宇严肃地说，“我们的计划是，只要他一踏上中国领土，就把他扣下，由我们的武士轮番上阵，跟他玩车轮战，直到打瘫为止。为此我们准备牺牲一批武士。”

“不这样不行。”主持人解释，“你们也看到了，这个胖子也不是等闲之辈，我们要保证我方主将出马时稳操胜券。”

“你们的意思就是主将由大梦拳传人担当？”公司经理问。

“是的。”赵航宇说，“非大梦拳不能制胜。”

“我同意这样的安排。”公司经理掉脸对大家认真地说，“和这样强大的敌人作战，不能硬拼，只能智取。要形成围歼的局面我方力量必须十倍于敌同时要保持一只最硬的拳头在敌人最疲惫的时候打出。”

“就是这个意思。”赵航宇说，“诱敌深入，关门打狗。”

“你们能保证把他骗进来吗？”个体户说，“据我的经验，现在的人也不好骗着哪。”

“没有不来的道理。”赵航宇说，“他不知道咱们这么热情请他来干吗，他还以为咱们好客呢，包在我身上，一切没有问题，成问题的只是钱。”

赵航宇温和地扫视大家，被他看到的人都低下头。

“不是我向诸位哭穷。”赵航宇说，“列位想啊，组织这么大的活动，又要接待外国人，咱礼数不能亏了。再有培训本国选手，主任团这些人也要吃要喝，哪处不得花钱？头两次募集的四万多块钱早花光了，昨儿起我们已经揭不开锅了。”

“不是我们不肯出钱。”公司经理说，“这种事关民族感情的事谁要舍不得出钱还不得叫人指着脊梁骨骂成汉奸？问题是这，既然是全民族的事就该全民族出血，你不能光指着我们几个派粮派捐，这民族也不是光我们几个的民族。搞光了我们几个倒无所谓，问题是这么吃一顿奔一顿不是事儿。我也看出来了，往后这钱花起来更没个底，我们连筋带皮全剁了馅能蒸几屉包子？”

“说真格的，”农民企业家说，“出多少钱我倒不在乎，大不了就是这几年白干了，你们要看我能卖个好价钱把我卖了也成。条件也有一个，你们真得把事办成。”

“我保证。”

“保证什么？大梦拳传人你们不是还没找着？这位爷找不着，你就是把那个外国胖子骗来不也没招？咱可别干在家门口下好套儿再让人家给打了的事儿。那可现大眼了，十亿老少爷们儿的脸可就真没地儿搁了。”

“咱可全指着他了。”个体户认真地说，“如果这人找不着，我看咱们最好也趁早收摊子，别瞎耽误工夫，认栽。”

“我保证，最迟后天让你们见着这大活人。”赵航宇说，“你们的担心是多余的。”

“那咱们一手交人一手交钱。”个体户说，“反正不也就一两天的事吗，你们先对付着，家吃两天。”

“你们怎么就不明白呀……”赵航宇急出一脑门子汗。

这时，一个文质彬彬的中年男人蹑手蹑脚走到主持人身边，低声说了两句。

主持人偏头对赵航宇说："赵主任咱得快点了，人剧场经理催了，下面这场演出快到点了。"

"这就完这就完。"赵航宇低头看看腕上的手表，"这会怎么开了这么长时间？我把这两句话说完就完。不知你们怎么就不明白呀？我并没想让你们承担比赛的全部费用，只让你们赞助些开办费，又不是白要你们的，肉包子打狗。算你们入的股，将来事业搞起来了，肯定还要盈利，不但本会还给你们，还能让你们赚上一笔。你想啊，今年夏天没有任何重大国际比赛，咱们这个肯定热门，加上比赛的性质，肯定全社会瞩目。不说门票这种小收入，光广告就能弄个满天飞。我们还有一些组织义卖募捐、发行奖券的大型计划，在全社会集资。那时各位拿回去的恐怕就不止拿出来的这区区小数了。眼光要看得远一点，舍不得孩子套不来狼。"

剧场里响起第一遍入场铃，一些吃着蛋卷冰激凌的观众稀稀拉拉走进场，看到舞台上的人立刻就找了座位坐下，全神贯注地看起来。有的飞跑出去叫正在剧场休息室徜徉的同伴。

"咱真不能再耽误了，请各位赶快拿主意。"

"我们还是不见兔子不撒鹰。"

"先少点，少点行不行？一人一百，让我们先过去今天。"

一个被女友飞跑着拉进剧场的小伙子一边吃着冰激凌一边大声诧异地说：

"不对呀，卖的明明是歌舞票，怎么改话剧了？"

后台，赵航宇一边点着手里寥寥无几的钞票，一边对主持人破口大骂股东们：

"这帮小人，把咱们当叫花子打发了。"

“咱们今儿这会的议程上有毛病。”主持人恭敬地含笑说，“应该上来就放录像，借着那劲儿就侃钱的事。而且你也太老实了，告诉他们大梦拳传人找着了又怎么啦？”

“惹急了我，我改替外国人反打中国人。”赵航宇恨恨地说，“走，你跟我一起去找白度，看她回来没有，事情成败现在全靠她了。”

“我走不开。”主持人说，“一会儿这儿的演出就开始了，我得上场，我当主持人，没谁也不能没我。”

“告诉我，”赵航宇眯着眼睛盯着主持人，“你每天往这儿一站，一场接一场地这么主持下来挣多少钱？”

“这不是需要吗。”主持人说，“我看你也别往白度家跑了，大热的天，打个电话不就完了，打个电话一样。”

“不是我着急，我不踏实，费半天劲再功败垂成……”赵航宇嘟哝着随主持人往后台电话处走去。

| 第二章 |

月光如水的北京郊外的原野上，一列灯光通明的列车正缓缓驶向已近在咫尺的灯如繁星的庞大城市。

列车中部卧铺车厢的一个窗口前坐着一个身材修长的文雅女子，车厢里的其他旅客正忙着从行李架上取下沉重的行李，而她则一动不动，愁眉不展地坐在那里凝眸注视着窗儿上的什么东西。

窗儿上摆着几封电报，电报上的句子依次简短下来，可以看出发电报的人的急迫和窘境。

“务必找到大梦拳传人，速带其返京。”

“速带大梦拳传人返京。”

“速带大梦归！”

“大梦速归！”

“救命！”

“白度，咱们是不是也该收拾一下，准备下车了？”一个魁梧高大的小伙子走进铺间，双肘搭在中铺对女子说。

“啊，收拾吧。”白度站了起来，看看窗外，对一个坐在下铺，正津津有味地翻看着一本装订简陋的马粪纸小册子并比画着各种拳掌的瘦小个男人说，“刘顺明，把我的包拿给我，在你屁股底下。”

瘦小个刘顺明从屁股底下抽出一个女挎包眼儿也不抬地递给白度。

“刘顺明！”孙国仁，那个高大魁梧的小伙子冲瘦小子喊，“你也干点活儿，别老捧着那沓擦腚纸看个没完。”

“着什么急呀？”刘顺明不耐烦地说，“到了再搬行李也不晚，看完这段。”

“甭废话，来帮把手。”孙国仁把刘顺明揪了出来，“你还以为你读了这破拳谱就立刻成精了？”

“其实没什么难的，”刘顺明在帮着孙国仁从行李架上抬下一个沉重的走轮包，“不就是四两拨千斤吗，要领我都掌握了。”

“你叫家里来接咱们了吗？”孙国仁问白度，“这车晚点了八个小时，到车站准没车了。”

“我还有脸叫家里来接？”白度说，“我正考虑咱们是不是还有必要再见赵航宇。”

“不见怎么办？”刘顺明愣愣地问。

“该干吗干吗。”白度瞟了刘顺明一眼，“过去咱是干吗的还干吗去。”

“可我过去什么都没得干。”刘顺明说。

“那就随你便了。”白度说，“这事要黄了咱也就谁也顾不上谁了，只当这辈子没见过面。”

“别黄了呀。”刘顺明说，“咱好容易捏在一起，又挺对脾气，我不忍和你们分手。”

“实在没办法也只能这样。”白度说，“找不着主角，咱这台戏也没法往下唱。”

列车驶进站台，“哐当”一声停住，车厢里的旅客纷纷往外走。

“能不能这样？”三人往车下走时，刘顺明突然说，“问题不就出在这大梦拳传人身上，我当这个传人怎么样？”刘顺明两手拎着箱子绷起干巴块儿，“动作我全背下来了。”

“我怕你让洋人打死。”白度径直往前走。

车站广场上，尽管四周建筑上的霓虹灯和其他照明灯闪烁明亮，但一片静寂，走动的人很少，在广场上过夜的旅客大都蜷伏着熟睡了。远处看上去灯火辉煌的一条条大街也都空空荡荡，没有车驶过。整个城市像一个已经开场但没有演员登场的大舞台。

三人走到亮着“出租车站”霓虹灯招牌的停车场。调度室灯亮着，但没有人，一排排停在场内车顶闪闪发亮的出租车内也全没司机。

“看来咱今儿得拐着回家了。”孙国仁说，把背包背上肩。

“再找找，”白度不甘心地依次往每辆车里看，在停车场里穿行，“没准碰巧能赶上一辆。”

“我发觉这女人全是死心眼儿。”孙国仁对刘顺明说，又冲白度嚷，“别找了，我送你回家完了。”

“不用。”白度找了一圈失望地往回走，“你走你的，咱们不是一个方向。”

“我送她。”刘顺明对孙国仁说，“我们正好走一路。”

“你也不用送。”白度走回来对刘顺明说，“咱们一个西北一个西南，你也太绕。”

“没关系，我姥姥家在西北，我上我姥姥家睡去。”

“顺路吗？顺路可以。”

“不用我送我可走了。”

“你走吧。”白度对孙国仁说，“回头咱们电话联系。”

“路上碰见坏人，别忘了跟他使大梦拳。”孙国仁笑着对刘顺明说，肩背手提包大步沿着马路向前走去。

这时，一个穿着背心的小伙子蹬着辆三轮车从暗处驶出来，滑行到白度和刘顺明跟前，用脚踩住斜梁上的链闸刹住，露出微笑。

孙国仁大步流星在洒了水后黑油油的马路上走，一辆三轮车从他身后轻矢般飞快地驶过，车上和白度并排坐着的刘顺明扭过脸笑着朝他招手：

“哥们儿，慢慢走着。”

“喂！”孙国仁负重跑起来，“把我也捎上。”

“没地儿了。”刘顺明得意洋洋地喊。三轮车在前面十字路口向东拐去不见了。

孙国仁停住了跑，喘吁吁蹒跚地走：

“真孙子，没法和他们丫的共事。”

宽阔明亮的建国门大街上，三轮车疯了似的冲上立交桥，顺着大坡往下驰去。

“不对呀，师傅，你这是奔通县了，可我们住八宝山。”刘顺明看着马路边林立的外交公寓嚷：“拧了。”

“不早说，”蹬车的小伙子说：“这会儿说我这车也刹不住了。”

“它怎么刹不住？”

“不听使唤呗，一跑起来就撒欢儿，非跑够公里才喘气。”蹬车的小伙子回过头来一脸为难地说：“这车有魔怔，一条道跑到黑的路子。甭着急，前面大北窑立交桥我试试能不能把它拧过来。”

上了大北窑立交桥小伙子风驰电掣地蹬着车，做竭力拐把状：“不成了，不成了，跟我较上劲了，只能拐九十度了，再拐就跟我急了。”

三轮车直奔东三环。

“你这车也够王道的。”呼呼吹过耳边的风声中刘顺明嚷，“还带自转的。”

“前面三元桥我再给您拐一回。”蹬车的小伙子说，“头天亮肯定让您到家。”

“不是，你要制不了这车，你下来，我替你收拾收拾。”

“别价，哥们儿，黑更半夜地咱还是顺着点它，回头说不走真不走了，咱仨大活人上哪儿再找车去？”

“我这还是头一回让三轮给欺负了。”刘顺明悻悻地说，“万没想到。”

刘顺明看了眼白度，白度微微一笑，稳稳地坐在车座上：

“咱坐车的着什么急？又不费咱力气，由他去，他还能跑出北京城去？”

“这话在理儿。”蹬车的小伙子回头欣赏地看了眼白度，“还是人女同志明白。多好的夜色，可大街你随便敲人家门去，问问可有一个乐意拉着你们满北京兜风的——在这夜深人静的时候。”

“还不多收钱。”

“什么？”蹬车的小伙子一机灵，回过头瞅着白度，“这我可没说。”

“你想多收也没有，”白度微笑地说，“我们俩身上拢共包圆也不过十来块钱。”

“十来块钱您就敢坐我这车？”小伙子瞪大眼睛，难以置信地说，“胆儿够大的。”

“所以我说你还是管管你那车，为我们让您白跑路不值当。”

“哎哟。”小伙子抚胸笑着，扪心自问，“我这是跟谁呀？使这么大劲？得，我嫩了，看走眼了，您二位这么风度翩翩愣是不趁千儿八百的？”

“早知道会碰见您，我们就省着点花了。”

“心里没我？得！”小伙子猛蹬几下把车“滋”地刹住，回头伸手一请，“您二位下车吧，到了。”

“到哪儿了这是？”刘顺明在车上左顾右盼，“这儿的房子我怎么全没见过？”

“到哪儿了我也不知道。”蹬车的小伙子说，“我就知道这是十块钱能到的地方。”

“别这样，师傅。”白度婉言规劝，“你不能把我们扔在这荒郊野外。”

“我怎么不能？我太能了。出门不带钱您还想上哪儿？”小伙子跳下车，往下搬白度的行李，“别害怕，这儿没狼，全打光了，还是咱北京城的地界。”

“这样行不行？”白度对小伙子说，“你要嫌太亏，你上后边坐着来，我们拉你。”

“甭废话，赶紧下来，别等着我揪你。”小伙子歪着上唇支着单面鼻翼说，“你一个大姑娘深更半夜赖在男人车上不下来，传出去也不好听，正扫着黄呢。”

“咱可把话说在前头，”白度双手拿包一步从车上下来，仰脸看着小伙子，“你要把我们扔在这儿，那十块钱我们也不给了。”

“哎哟，”小伙子像被扎着似的皱着脸原地转了一圈，看着白度说，“你真惹我生气，我还真不信这个！”

“信不信随你便，这钱我们是不给了。”白度对仍坐在车上的刘顺明说，“下车，顺明，我看他能怎么着。”

“别别，你们二位都先别急。”刘顺明下车劝白度，“我觉得是你没把话说明白他还不知道咱是谁，知道了准不这样。”

“我管你们是谁呢。”

“你这人怎么这样？”刘顺明被驳了面子，批评蹬车小伙子，“好赖话不懂，我这话是向着你说的。”

“你甭向着我，我用着你向着吗。”小伙子挡在白度面前，“痛快点，钱给还是不给？”

“不给！”白度凛然说。

“好好，你厉害。”小伙退后几步，摩拳擦掌，大幅度地扭着腰，活动周身关节，“看来今晚上你是非想在房上过了。”

“光天化日，朗朗乾坤，你敢放肆！”白度厉声呵斥小伙子，毫不畏惧。

“也是，”小伙子一琢磨，“我打你这女的也不合适，我收拾这小瘦猴吧。”

小伙子横着膀子向刘顺明走去，做着各种恫吓的手势和嘴脸，从牙缝里龇出话来：

“自个选个楼，想上哪个房任选。”

“流氓打人了。”白度尖声冲远处一盏路灯下的西瓜摊喊。

西瓜摊上闻声坐起一个光膀子的小伙子，对另一个仍躺着的光膀子的小伙子说：“流氓打架了，咱去不去看热闹？”

“不去，”躺着的小伙子说，“流氓打架有什么可看的？没准是流氓的调虎离山计，要抄咱瓜摊。”

这边刘顺明已经和那位“板爷”走起场子，双方拱背猫腰，两手猿似的伸张着，横迈着弓步，互相叫骂着。

“还不定谁上房呢，别看哥哥瘦，秤砣虽小压千斤，功夫在这儿呢。”

“你不老实挨打，还敢诈尸？今儿我不让你房上蹲一夜我对不起你。”

“你是真没碰见过高人，只可惜你爹妈生养你一场心血全白搭了。”

“少废话，接招儿吧你——起！”

两人交起手来，你一拳我一掌，打得花团锦簇，边打边唠着。

“嗬，你还敢不起？让哥哥劳神？”

“好好瞪大眼睛看仔细，跟矮哥学几手。你瞅我这拳，你再瞅我这掌，别让我挨着你，挨着就没轻的。”

两人打得兴致勃勃，大汗淋漓，白度在一旁看得也渐渐入迷，连声赞叹：“好拳脚！”不再四下嚷嚷。

慢慢的，两人拳路打出系统来了，一招一式既连贯又清晰，但蹊跷也出来了，两人打成一顺了，满头大汗费了牛劲可永远谁也打不着谁，知道的是真打，不知道的还以为是师兄弟在面对面地练拳呢。

“不是你怎么跟我学呀？这么打下去咱可就打不出个结果来了，不带这样的。”

“谁跟谁学呀？我还纳闷呢，你也成不踻蹐，现场偷招儿。”

白度先是困惑，再是忍俊不禁，最后十分震惊，不由断喝：“二位且住。”

小伙子和刘顺明分头跳出圈子，徐徐收势，喘成一团，兀自嘴硬：

“我正要将他打翻，为何叫停？”

“莫不是想要跟我玩打打谈谈？”

白度走到小伙子跟前，上下打量他：“你是何人？”

“行不更名，坐不改姓……能告你吗？我头里告诉你，你后手就叫警察去掏我。你倒不傻。”

“请别误会，决无缉捕之意。我只是看你这路拳脚奇怪，此拳江湖上已失传多年，你怎地会使？我的天！你莫不是大梦拳当代传人？”

“是又怎地？不是又怎地？休要啰唣，拿出钱来，万事皆休，若再有个‘不’字，打下你们半截来！”

“给钱给钱。”白度且惊且喜，忙掏出钱来递给小伙子，“英雄家住哪里？姓甚名谁？”

“给钱也不能告你。”小伙子攥了钱，摇摇摆摆地向三轮车走去。

白度碎步赶上，喊：“有用！”作揖打千，“我这厢有礼了。”

“家住瑶池，姓混名蛋。”

“神仙？”

待白度定眼再看，小伙子已蹬车扬长而去。

“还不快跑着盯上他！”白度回头对正抖着衣襟扇风消汗的刘顺明嚷，“要是你打算有所作为的话。”

第三章

早晨，天刚亮日头就升起老高，强烈的阳光彻照大街、胡同、小院。小院里的坛坛罐罐都洒上阳光，院当间的老枣树上蝉已经在长叫。这是个最一般的四合院，房框门窗都残破灰旧，失了原色，墙上的青砖凹痕累累，房上的鱼鳞瓦长满青草。原来有点面积的院子被各家各户用半截砖、油毡搭的小厨房扭曲得不成方圆，仅存的巴掌大的空地上倒挤挤挨挨地摆满各色花草。花草全不是名贵品种，一水栽在灰瓦盆或破脸盆里，不图娇艳，只图枝枝蔓蔓爬个繁茂，看上去痛快，有那么点生机活力。

唐大妈穿着件月白色斜襟布褂，耷拉着两只大奶子，闭着眼伸着两手在院里漫游。别看不瞧道儿，可在那一排排花盆间穿梭得游刃有余，针插不进去的地方，那两只粽子似的小脚也能不差分毫地稳稳落地进去。唐大妈练的这活儿有讲，叫“鹤立桩”。

唐大妈的闺女唐元凤，一个十八九岁粗眉大眼的姑娘，端着牙缸子，含着牙刷，满嘴白沫儿地从屋里出来，脚蹬着门槛子，歪着头一个劲儿地刷那嘴，斜眼瞅着她妈。

“妈您留神，别踢了花盆。”唐元凤抽出牙刷，含着厚厚的牙膏沫儿冲她妈喊。

“放心，”老太太款款摆动着手臂，雁翅似的，“我心里明镜一般。多少年了？”

“我知道您未准真踢着那花盆。”元凤单手撑腿，哈着腰斜着膀子，“是看着心惊。”

唐元凤直起腰，又把牙刷插进嘴里，扑哧扑哧地捅。

“哥，你还不起？回头我可晒被了。”

“咋呼什么咋呼什么？一大早没听见鸟叫净听你的了。”

唐元豹，昨晚蹬车的小伙子光着板脊梁穿着灯笼裤扎着宽板带精精神神地出了屋，站在台阶，两手互握，晃起腰肢。

“闹不闹得慌？赶明儿也得给你结扎一下，结扎那声带。”

唐元豹说着，一个朝天蹬，单腿就搭门框上成个大一字。

“刷牙！”元凤一口鲜浓痰唾在台阶上，伶牙俐齿地说，“也不瞧瞧你那腌腊口，熏了一屋子臭味儿，后半夜我恍惚着只当中了煤气。”

“要不怎么能熏蚊子呢，敞窗开户地睡也没人敢咬你。”

元豹换了这只腿，又跷起另一只，压成反弓状，抻开大筋。

“别撕喽。”元凤含一大口水，嗽嘴，呼地成扇面喷出，“彩虹彩虹”指着喊。

“缺心眼儿。”唐元豹撂下腿，白他妹一眼，运气走下台阶，搬起两盆仙人掌，撕开花盆上原来系着的尼龙拉扣，一腿一个绑小腿肚子上，按好拉扣，拉着胯，撇着腿，一步一个脚印地向老枣树走去。

“缺心眼儿——你！”元凤站在台阶上嚷，“狗撒尿似的。”

唐元豹来到枣树前，骑马蹲裆站稳，全神贯注憋红脸，两拳握于腰间，一拳一拳向枣树树干打去。每打一拳都要连忙扶一下晃动的枣树，那架势就像生怕会把枣树打倒似的。打三拳踢一脚，那带着花盆起脚时的平衡技术堪与专做杆上运动的杂技演员媲美。

“我说元豹，你干吗老跟它过不去？见天一顿毒打。”邻居李大妈从大枣树下的小厨房里钻出来，顷刻间便被纷纷落下的枝叶挂了一头一脸，扑落着，质问：“打你黑上它，它就没结过枣儿，净招腻虫了。”

元豹心无旁骛，目不斜视，似无所闻，仍三拳一脚地又打又踢。

“我说大兄弟，咱是不是妥协一下，您上我们这房可以，公子就别打我们这树了。”

房上嘿嘿一阵怪笑，元豹他爸，一个秃头光膀子的精壮老头子正大壁虎似的四肢摊开倒贴在李大妈家带廊子的大屋檐上，比那壁虎还从容。

“你们爷儿俩一个折腾就够了。”李大妈仰脖恳求。

老头子打房檐上跳下来，落到地上还轻盈地弹了几下，嘿嘿笑着：

“老嫂子，练拳强身，是为了保护乡里。您还瞧不出我们这孩子，志气大着呢。”

“大兄弟，您这话都是民国的话了，眼下早不兴了。现在讲的是文明礼貌，客客气气，先富起来。您练这膀子肉没用了。我不懂？我们老爷子前清时候也办过团练，也壮志未酬，也没见过这么自个儿跟自个儿过不去的。是不是唐大妈？”李大妈转脸问元豹他妈。

“这道理头八百年前我就跟这爷儿俩掰扯过了。”唐大妈颠着小脚，拍着两手走过来。“全白搭，有一个听的没有？”

这时，院外胡同由远及近传来人群的喧哗声和纷乱的脚步声，很多人吵吵嚷嚷地走来。李大妈的儿子，黑子，一个同唐元豹年龄相仿的小伙子上气不接下气地出现在院门口，结结巴巴地冲唐元豹说：

“豹、豹子，胡同里来了一大帮人打听你，来者不善呀！”

“怎么回事？”唐元豹收了势，叉着腰拉胯走到黑子跟前，“出去看看。”

“慢，”唐大妈拦住儿子，“你先别出头。”

人声鼎沸着已经来到唐家院门口，唐大妈打开院门，横在院门口。只见刘顺明一头大汗地走在人群前边，指着唐家院门对后边的人说：

“就是这院，我眼瞅着那小子进了这院。这不是，三轮车还锁在院外。”刘顺明发现院外墙根儿停着的三轮车，上下察看着，手拍着胜利地叫起来。

“没错，是这辆车。”白度对赵航宇说，“人跑不了，准在这院里。”

赵航宇打量着这破旧的小院门，完全对唐大妈视而不见，从后脖领子抽出一把纸扇，刷地抖开，扇了起来，一指小院：

“去，进去几个人，把他叫出来。”

几个戴眼镜的年轻人要往院里进，被唐大妈伸手挡住：

“慢，有什么话跟我老婆子说。”

“哪儿又钻出这么个老太太？”赵航宇对白度说，“叫她闪开，别影响我们执行公务。”

“大妈。”白度走上前和蔼地说，“我们不是找你，是找个小伙子。”

“别跟我口蜜腹剑！找谁？干吗？先说清楚，要么别想从我这儿过去。你们刀光剑影杀气腾腾的敢是来抄家的？”

“完全不是这个意思，您老定睛仔细看，那闪光的都是眼镜片。”

“不要跟她啰嗦，耽误时间，我要的是那个小伙子。”

赵航宇挥手叫他手下的人上，唐大妈使劲抓住门框，小伙子们使劲掰她的手。

“疼死我了，杀人了。”唐大妈仰天喊。

“住手！”随着一声吼，唐元豹出现在门口，赵航宇手下的纷纷退下。

刘顺明咬着赵航宇的耳朵说：“就是他。”

赵航宇问：“你就是昨晚在北京站蹬三轮的人？”

“是又怎样？”唐元豹认出刘顺明和白度，“好汉做事好汉当！你们让开，让我先活动开了。”

唐元豹健步下了院门台阶，在胡同里的人堆中走开场子。

李大妈见状对黑子说：“快去叫人。”

黑子答应一声，趁人不注意，溜出院门贴墙根儿慢慢走了几步，撒丫子跑起来。

这边，唐元豹已经把场子蹚开了，而且越走越大，越走越圆，赵航宇、白度一干人已经被他顶得贴墙站了一排。

元豹他爸也雄赳赳地出现在院门口，冲儿子喊：“舞起来，给他们舞出个花儿瞧瞧，让他们不战自退。”

元豹闻声挥舞起长臂，车轮般地抡起来，步子也加快了，渐次人影模糊了，只看见一团尘土打着旋儿地滚动。

元凤端出一盆洗脸水，老头子接过去，吼了一声：“看这个！”

兜头朝元豹泼去。一股银浪化作万点晶莹纷纷扬扬反弹出来，整整齐齐洒出一个圆圈，那叫均匀，围着的人不多不少每人都沾了一头雨露。

再看元豹，稳稳地站在圆心，周身上下没有一点水星儿，干干净净。

“好！”围观的人齐声喝了个彩。

“这盆水那叫管用。”赵航宇笑眯眯的，鼓着掌领头走上去与元豹握手，双手抓住元豹的手使劲摇：“果然名不虚传，让我们大开眼界，国家幸甚，民族幸甚。”

“这是怎么说的？”唐元豹被排着队上来依次和他握手的眼镜们弄糊涂了，“你们不是来打架的？”

“是为打架的事来的，”一个眼镜说，“但不是我们和你打。”

“你打得很出色。”赵航宇说，“我们很满意，你被选中了。”

“什么选中了？”元豹不解地问。

“什么选中了他还不知道呢。”赵航宇等人看着他哈哈笑。

“很大的荣誉，”一个眼镜说，“你应该感到高兴。”

“我问你，”赵航宇笑着，循循善诱地说，“要是有个人被人欺负了，你看在眼里管不管？”

“我管着吗？”唐元豹说，“我又不是警察。”

“要是这人是你的亲人呢？”赵航宇继续微笑着，“你的亲人、好朋友被人打了？”

“那也得看为什么打，要打得有理呢？没事找事和人起腻，那挨打还不活该？”

“没想到你还是个很有是非观念的人。”赵航宇笑得有点不是模样儿了，但还笑着，“不论谁挨打，只要不是你，你就不管？”

“不管，这事找政府找派出所去，我算老几？管得过来吗？”元豹嘿嘿地冲四周的人傻乐，“打小我爸就叫我少管闲事。”

赵航宇严肃起来：“要是被人欺负的是咱国家呢？”

唐元豹瞪大眼睛："咱国家叫谁欺负了？没听说呀？光听说在南朝鲜奥运会叫人打趴了。"

"你们这么跟他说，他永远不明白。"白度看不下去了，说，"不如干脆直说。是这么回事……噢，对了，还不知道你叫什么呢？你叫什么？"

"唐元豹，元帅的元，豹子的豹。"

"是这么回事，唐元豹同志。我们是全国人民总动员委员会主任团的，就是前中赛委秘书处。"

"甭管是什么了吧。"

"对对，甭管了，就说我们为什么找你吧。刚才我们领导已经跟你说了，咱们国家不久前让人欺负了。你没听说吗？就是今年春天的事，一个洋人在札幌把咱们的人打了。"

"惨吗？"

"噢，惨极了，惨不忍睹。"

"看着能把你气死。"刘顺明插话说，"我们都哭了，恨不能当场冲上去，磕死一个算一个。"

"那怎么没冲？"唐元豹问。

"那不是在札幌吗，"刘顺明说，"够不着。"

"这么大事怎么咱全没听说？"唐元豹转身问周围的街坊，"匣子里也不广播？"

"没敢张扬，"刘顺明说，"这是丢人的事。"

"后来呢？"

"后来我们这帮人不干了。咱中国人凭什么就得让洋人欺负，为什么咱就不能欺负欺负他们？"

"我们自发地组织起来。决定教训教训洋人。"白度用手往身后一划，"都是民族自尊心特别强的同志。"

“我们准备把这个洋人引进来。”赵航宇说，“给他一顿饱打。于是乎，我们就找着了你。早就听说大梦拳了得，我们合计，要扳倒这洋人还非大梦拳不可。”

“你可万不能推辞。”刘顺明垂泪给唐元豹跪下，后面呼啦啦跪倒一片肃穆的群众，“咱华人这百十年就没舒过心，这回不能再栽了。中国眼下就瞧您了，您要不答应，我们全体磕死在你面前。”

“快起快起。”元豹一个箭步搀起刘顺明，后面跪着的人也一块掸土起来。元豹对大伙儿说，“大家的心意我明白了，别跪，我受不了这个。我唐元豹也是炎黄子孙，大伙儿别扭，我唐元豹也痛快不了。事儿我是听明白了，掰个别洋腿也不算什么。问题是跟政府那儿备过案没有？咱不能乌合之众，凡事要有组织，别我把洋人打坏了政府跟我不干。”

“这你放心。”赵航宇说，“你敞开练，只管往死打，出了人命我手下有的是人替你去蹲这大牢。”

“爸，你说呢？”元豹掉头冲他爸，“这事我答应不答应？”

“还犹豫什么，孩子？你不早憋着要大干番大事业——有老年组我都冲了。”

“哎哟，老英雄。”赵航宇率众抢上前，拱手作揖，“恕我们有眼无珠，半天没瞧见您。”

接着，众人看着元豹他爸全愣了，还是刘顺明先醒过味儿来。

“您不是庚子年被洋人砍了吗？”

“怎么说话呢？”

元豹先不干了：“刚才说好好的，这会儿妨起我爸来了。”

“我要瞎说我是茄子。”刘顺明摸出那张义和团壮士赴刑场的照片，指着上面的黑胖子直着眼睛看着元豹他爸，“一模一样——

敢情您死里逃生？”

元豹看看照片，再看看他爸，也傻了：“您这么些年倒没大变。”

老壮士嘿嘿笑着，接过那张照片抚摸着，百感交集，对赵航宇：“这么说，又闹义和团了。”

“又闹了，又闹了。”众人含着泪花儿幸福地笑。

“要我说，既然老壮士健在，那大梦拳谱是不是也该物归原主了？”白度轻轻对赵航宇说。

“该！该！”赵航宇抹抹泪，招呼手下人，“拳谱还给老英雄。”

元豹他爸捧着那叠马粪纸老泪纵横，扬脖打着嗝。

“元豹，过来，你要不把这洋人给我撕了，你就不是我儿子。”

“爹，您就擎好吧。”唐元豹慷慨激昂地说，“连您当年的仇我一块给您报喽。”

“上酒上酒。”赵航宇回头冲后喊，“给壮士上酒。”

一个眼镜抱着早预备下的酒坛子和海碗，挨个分发，斟上白亮亮的酒。

赵航宇端着酒碗对唐家父子说：“这酒咱是不是得喝？”

“得喝。”老英雄端起一碗酒豪气地说，“不光喝，还得干！”

众人高擎起酒，一饮而尽，一片龇牙咧嘴。元豹红头涨脑地对白度唠叨：

“不瞒您说，数我爸最了解我，我早就不安于这板车营生了，早就想干点惊天动地的事业！”

“这回你肯定惊天动地，”白度面不改色地甩甩喝干的空酒碗，“我保证。”

“壮士在哪儿？壮士在哪儿？”随着一连声地呼叫一个绷带包着头吊着胳膊足有两米高的巨人挤进了人圈，单手一把将元豹揽进怀里，泪如雨下，“你可一定为我报仇啊！”

“这就是札幌大赛被打残的我国选手。”赵航宇平淡地说，“瞧瞧给打的，全身上下没一块好肉。”

“我的天！”众人一片感叹。

这时，人群外传来一迭声喝叫：

“敌人在哪儿？敌人在哪儿？”

只见黑子领着一帮扎板带穿灯笼裤的胡同串子舞刀弄棍一路杂耍般的使着各种拳脚奔来。

“别拉着我，别拉着我，你们谁都别拉着我。”黑子喊着，舍命一头撞进一个眼镜的怀中。

“中国人不打中国人。”

刘顺明英勇地大张双臂冲上去母鸡护雏似的把领导们护在身后，被人一个扫堂腿一屁股坐在地上。

“无礼！”元豹爹一声喝，“大人们在这里商议国事，小子们休得喧哗。”对赵航宇，“赵主任不必畏惧。”

“哪里哪里。”赵航宇看着黑子等人，强笑着对元豹爹，“贵胡同真是藏龙卧龙。”

| 第四章 |

“008 来电。”在一个大餐馆里，赵航宇、白度一伙人正坐在拼起来的长桌周围吃喝。女秘书捧着只文件夹子面无表情地对着赵航宇念一份刚收到的电报：“大胖子已经中计，欣然答应来华，近日内即将启程。”

“回电。”赵航宇嚼着一块没太烧熟的肉，皱着眉头，推推眼镜，“‘拖鞋行动’暂缓执行，稳住大胖子，能稳多久稳多久，理由自撰，国内方面尚需一段时间准备。”

“008 真是不懂事。”女秘书走后，坐在一边又吃又喝的孙国仁说，“完全没明白咱们的用意。谁要他那么卖力气？我看往后这种实心眼根本不能用。”

“就是，”同样也在忙不迭吃的刘顺明说，“早早把大胖子发过来，三下五除二打完咱们干吗去？起码也得等咱们的投资全收回来。”

“我倒不是这个意思。”赵航宇说，“我主要是从唐元豹的形象考虑。他这是要代表咱们民族，不能光打赢就完了，要全面从气质上胜过对方，往那儿一站就有光彩，就令人肃然起敬，就有国手风范。唐元豹目前这种样子是拿不出手的。要抽时间对他集训，提高素养。同志们哪，我们要慎重，我们不单是要打败一个洋人，真正目的是要树立起一个民族的万世楷模。千万别轻看我们的工作，我们目前做的是要彪炳青史的千秋大业——想起来我就害怕。”

“还是赵老看得远，咱们怎么就没想到呢？”席间众人相视感叹，刘顺明诚恳地说，“赵老，您还得多开导我们几句，要不我们几个糊涂着呢。”

赵航宇摆摆手：“我也是瞎说，你们几个刚才说得也有道理，钱还是要挣的，要挣得巧妙、光明磊落，让旁人说不出什么来。挣钱和培训元豹二者可以结合起来干，多注意宣传，宣传得法可收事半功倍之效。我们发现大梦拳传人的消息向各宣传单位通报了没有？”赵航宇问白度。

“通报了。”白度说，“今天晚报和晚间新闻即可见消息。”

“很好，要趁热打铁。”赵航宇挟起一条硕大的鱼连头带尾塞进嘴里，吞下肉吐出刺，“我刚才讲的都是些原则，具体的事情还要靠你们去办，点子还要你们出，不要怕捅娄子。可以给元豹多请一些老师，怪一点也没关系，博采众长嘛，只要对他有补益。”

“我看这事还非得赵老亲自挂帅，改造人您拿手啊。”刘顺明心悦诚服地望着赵航宇，“跟着您我们心里有底。”

“我不同意赵老什么都介入。”孙国仁怒冲冲地对刘顺明说，“你还嫌赵老肩上的担子不够重？你看看赵老这些日子瘦成什么样儿了？为这件事赵老的心都快操碎了。我们当下人的不说为领导分忧，还给领导加码吗？”

“我是要累着领导吗？我说的意思也是让赵老动动嘴，跑腿的事我去。”

“对，你是为领导好，可我是对赵老真有意见。”孙国仁转向赵航宇，“我这人直肠子，有什么说什么，不会说好听的。我真是瞧不惯您，你太不像话了！当着您我也敢说，您工作起来怎么就不知道休息？”

赵航宇呵呵笑：“你们不要争了，这意见我接受。我看这样吧，对唐元豹的工作我就不插手了，还是由白度负责，全抓起来。怎么样，白度，没什么困难吧？”

“可以。”一直不做声坐着斯文地吃喝的白度微笑地说。

“你组织一个班子，唐元豹承包给你，到时候交人。班子人选你自己定，要谁说话。”

“我还是要小孙和小刘吧。”白度看着那二位说。

“真有眼力。”赵航宇笑着说，“我这儿最精干的人都叫你搜罗去了。”

“我倒不是图别的。”白度看着孙、刘笑说，“我只是希望有个愉快的工作气氛。”

“不是白老师，您既然用我们哥俩儿，我们哥俩儿可对你有要求。”刘顺明说，“您就照死了用我们，千万别拿我们当人，您要跟我们客气，我们可跟您翻脸。”

“您着点，顺子，日子长着呢，循序渐进。”白度笑着说，“您一口气说光了。往后我听什么？”

“那就这样，以后你们有什么问题可以找我。”赵航宇说，“哥儿姐儿几个就摽着膀子干吧。”

“我们怎么跟您联系？”白度问，“您这一阵儿打算上哪儿办公？”

“甭问了，赵老习惯飘着，”刘顺明说，“我全知道。以后需要赵老了。我去大街上喊去，准在。”

“不不，我不打算再飘着了，咱不是有条件了吗，从今往后，总部就设在这饭馆了，我 24 小时都坐在这儿，有事你们就上这儿来找我。”

“要不还得说咱赵老，会选地方。”

“服务员！”赵航宇拍着手叫服务员，指着一桌狼藉的饭菜。“照原样儿再来一份。”笑盈盈地对大家，“今儿我高兴。”

“瞧一瞧，看一看啊，大千世界。”

人车川流的大街上，站在各路口红绿灯下的报贩子们此起彼伏地吆喝。

“看大梦神功重见天日。”

“看坛子胡同新出土宝贝。”

“义和团壮士死里逃生，大梦拳传谱失而复得！”

“看天下奇闻，无头人原系大刀王五战友，小板爷乃是天下头号拳手。”

过往行人纷纷驻足停车，争相购买，一时街上人头汹涌，交通为之堵塞。

唐家小院里，元豹元凤和他妈及众邻居端着浇头各异的大碗凉面边稀里呼噜地歪着脖儿吃边喜形于色地看着一台支在院里的十四寸黑白电视机。

电视里，杜宪和薛飞正你一言我一语地和全国人民聊着。

杜：“本台最新消息，今晨在北京坛子胡同‘全总’总部工作人员根据群众提供的线索，找到一名目前我国仅存的义和团壮士，老人年已百二三十，但看上去十分硬朗，也就五六十岁。”

镜头出现众人簇拥的唐老先生，正是大家一同饮酒的场面。

“瞧我爸，瞧我爸。”元凤龇着满嘴牙汗津津地冲众人自豪地嚷。

杜：“老人牙齿一颗未掉，肉也吃得，酒也喝得。”

众人欢笑，黑子伸着脖儿直着眼睛咂着嘴赞叹：“这回唐大爷后半生有靠了，怎么也得享受离休待遇了，板板的一九四九年以前参加革命工作的。”

薛：“与老人同时发现的还有他的儿子唐元豹。”

镜头出现雄赳赳的唐元豹。

全院人炸了窝似的欢呼。黑子使劲拍唐元豹的后背，元豹岔了气，面条差点没从鼻子里出来，和气地笑：“看电视，看电视。”

薛：“唐元豹人倒没什么新鲜的，难得的是他继承了我国武术宝库中的一门久已失传的手艺，他被认为是我国目前除其父外唯一会使大梦拳的人，这套拳过去只在有关典籍中有所记载。”

镜头出现正比比画画走着场子的唐元豹，一盆水泼上，元豹纹丝未湿，众人成了落汤鸡。

杜：“据有关专家认为，这次在坛子胡同的发现，对近代史和义和团运动的研究有重大意义……”

镜头出现一个戴眼镜的学者，一边推着眼镜一边说：“过去，我们只发现过一些太监，义和团壮士这还是头一遭。这可以从根本上改变近代史研究上只能凭典籍野史和传统的局面。”

一个秃头胖子摩拳擦掌地出现在画面里：“我们博物馆的同志们听到这个消息很兴奋，坛子胡同的发现意味着近代史陈列室除了丰富的实物和图片还将第一次、破天荒地增添一口活物……”

一个老得眼睛都睁不开的干瘪老头瘫坐在沙发上，尖声尖气地冲镜头说：

“素有活化石之称的熊猫在唐老先生面前也将相形见绌，这是继马王堆女尸发现后我国考古界的又一重大发现……”

眼睛盯着电视都看傻了的唐老头热泪盈眶，喃喃自语：“这么高的评价我怎么消受得起？没想到我唐某人荒了大半个世纪又对国家有用了。”

香烟缭绕的唐家堂屋，《大梦拳谱》罩着座钟罩子端端正正放在中堂条案上，四周摆着堆满馒头、苹果、香蕉的供碗，几束香高高插着，关公和毛主席画像并排悬挂，慈祥地望着天下。

唐老头领着儿女街坊恭恭敬敬地向上行着全套大礼。先是合掌再是抱拳，然后是打千鞠躬，最后是跪叩，由单腿及至五体投地。

唐老头对老伴：“它们的卫生我就交给你了，从今往后这儿就别摆其他东西了，勤归置着点，别让它们招灰。”

胡同里响起一阵阵汽车喇叭声和刹车声，一辆接一辆的汽车停在唐家院门口。

白度一干人出现在唐家屋门口，不同身份的穿着各种制服的人不断往里拥。

白度冷冷地对唐元豹说：“上车吧。”

曾在电视里出现过的秃头胖子一手拎着只放大镜一手指唐老头儿：“还有你！”

唐家父子紧紧拥抱，互相凝视着，异口同声地说：“让我们在各自的岗位上发光吧。”

人们上前把他们俩拉扯开，带走。

元豹妈和元凤哭着追着喊：“让我给他们带上几件衣裳。”

“坚强些，妈妈！”

一辆辆推土机、吊车、翻斗卡车隆隆驶进坛子胡同，扛着铁锹、镐头的挖土工人排成队浩浩荡荡跟在车辆、机械旁边步行。

头戴塑料头盔的指挥员嘴里吹着哨子，引导着大型车辆前进。更高级的指挥员站在敞篷吉普上，几颗头凑在一起，打着手电研究着一张摊开的图纸，伸手指点着胡同和唐家院子，对正站在吉普车下仰头看着他们的部下发布命令。

一些人扛着工具向四处跑去，在各个路口竖起禁止入内的木牌。

卡车后板打开，卸下蛇形铁丝网。

架在房上的第一盏探照灯亮了，随即第二盏、第三盏相继亮了，从不同方向射出强烈的光束，把坛子胡同照得白昼一般。

这时，一队摩托车横冲直撞地开进胡同，车上坐着一些全副武装的穿黑制服的人。他们端着刺刀枪从车上跳下来，极熟练地散开，抢占了所有重要路口和制高点。

一辆专为残疾人生产的机动三轮车"突突"地跟在摩托车队后面开进来。同样穿着笔挺的黑制服，头戴大盖帽，脚蹬长筒靴，神气得像个党卫军的刘顺明从挎斗里站起来，拿着一个半导体喇叭，打开开关，试了试声，对拥挤在胡同墙根儿下看热闹的群众宣布：

"我是保安队少校刘顺明，坛子胡同从现在起处于我的管辖之下。"

"对不起，少校同志。"考古工程总指挥领着他的指挥成员，走到刘顺明车前，"这儿的最高领导应该是我，我是坛子胡同工程总指挥。"

"好吧，总指挥同志，"刘顺明轻巧地说，"就让我们对坛子胡同实行双重领导。"

胡同入口传来密集的汽车喇叭声和越来越大的人群喧哗。

形形色色的男女挥舞着手里的各种证件和站岗的黑狗子们激烈争吵。

“我是中央良种站的，我有要事要见唐元豹。”

“我是广告公司的……”

“谁也不能进。”刘顺明分开卫兵，手按着枪套威严地说，“我奉命粉碎一切企图接近唐家的努力。所有想见唐氏父子的人不管目的何在，都必须到‘全总’申请，按‘全总’的规定付费后方可安排。”

“你们不能垄断唐元豹，他是全民族共同的财富。”

“有饭大家吃！”

人们群情激愤。

“退后！”刘顺明掏出手枪。他的部下也同时举起枪，瞄准近在咫尺的人群。

“我数一、二、二点五……”

“你们真逼着我犯错误。”刘顺明叹道，“——开枪！”

首先从他的枪里，随即从所有枪里射出一排水花儿。

第五章

"知道为什么叫你到这儿来吗？"

"知道，是要了解我在义和团运动中的表现。"

在一间空荡荡的镶着隔音板的大房间里，秃头胖子坐在写字台后面，脸藏在台灯罩后的阴影里。如灯的光束打在唐老头儿的脸上，他双手放在膝上，恭恭敬敬坐在一张固定在地上的没有靠背的凳子上。

"你的姓名？"

"唐国涛。"

"年龄？"

"一百一十一岁。"

"捕前居住哪里？"

"坛子胡同 35 号。"

"何时入伍？"

"一八九九年三月。"

"历任何职务？"

"小队长、把总、二师兄、大师兄、一绝法师。"

"曾受过何种奖励何种处罚？"

"一九〇〇年被判处死刑。"

"有鸡眼吗？"

"没有。"

医院雪白的诊室内，唐元豹仅穿着一条游泳裤坐在诊桌旁回答一个女大夫的询问。女大夫边问边记。

"有狐臭吗？"

"没有。"

"有痔疮吗？"

"没有。"

"你怎么什么都没有？"

"您可以闻闻，看看？"

"我相信你。你大概也不尿炕了？"

"尿过，改了。"

"站到那边秤上去。"女大夫指了指房间一端一台笨重的货秤。

看秤的护士认真地拨着准盘星，直起腰对女大夫宣布："八十公斤高高的。"

"现在脱下裤衩到帘子后面去。"女大夫放下笔，搓着手站起来。

"干什么？"元豹紧张地问。

"看看你的发育情况。"女大夫面无表情地说。

"听话。"站在一边的白度温和地说，"这位大夫已经闭经了。"

"可我从没给人看过。"元豹羞答答地跟着女大夫进了帘子。

片刻，女大夫出来，到水池子洗手，对接替她记录的女护士说：

“发育情况，中。”

“八十八年前的那天夜里，就是八国联军进城的那天夜里，你在哪里？”

“我在家里。”唐老头儿在台灯的照射下显得十分镇定。

“为什么不去战斗？大刀王五在战斗；老舍的父亲也在战斗。”

“我有更重要的任务。”

“什么任务？”

“我赶着回家，先把我爹妈、媳妇、孩子一一勒死。那天天也是这么黑，也是这么冷，我刚把一家老小处理完，突然，只听得有人敲门，嘴里轻声地喊：‘师娘，师娘，你快开门。’我把门这么一打开，只见进来一个人，左手抱着一个婴儿，右手举着盏红灯……”

“是谁？”

“就是我老伴，我现在的老伴——当时她是‘红灯照’。”

“那怀里的孩子？”

“就是霍元甲。”

“天哪，我怎么从没听说过还有这么一段！”

“我老伴一见我，就扑通跪下，嘴里喊着：‘师父，师父，我师娘，师姐全死了。’我说：‘是，都是我勒死的。’我老伴哭着说：‘那从今后，我就是您的亲人，这孩子……’我打断她：‘这孩子哪儿抱来的还送回哪儿去。’”

“后来呢？”胖子抹抹泪。

“后来，枪声大作，日本人冲进来了，嘴里喊着八格牙鲁，用枪指着我，问我：‘什么的干活？’说时迟，那时快，日本人冲进来的时候我已经钻了被窝，我老伴跪的方向也变了，冲着日本人磕头：‘太君，他是磨豆腐的，大大的良民。’日本人就嘿嘿地笑，用刺刀捅她身子‘花姑娘’地叫。于是乎，我掀被而起，大吼一声：‘住手！我就是你们要抓的义和团干部，和老百姓没关系！’”

“唐老，这您可有点演义了。”胖子皱着眉头说，“据我所知，义和团基层始终都没建党。”

“年轻人，这你就不懂啦，早在一百年前，我们已经前仆后继了。”

唐元豹被孙国仁抓着一只胳膊挟持着快步在长长的走廊里走。

孙国仁把他带进一间诊室，几个穿白大褂的大汉上来把他摁坐在一张椅子里，五花大绑一般将各种仪器的吸盘、夹子固定在唐元豹的四肢与躯干，一台X光机被推上前，瞄准唐元豹。

“我们开始调试——通电。”主管大夫说。

坐在椅子上的元豹遭电击一通乱扭。

“疼！”他大喊。

一个大夫将一块伤湿止痛膏贴在他嘴上，他立刻没声了。

所有仪器上的指示灯亮了，示波器上出现绿幽幽的荧光，紊乱地波动。仪器发出各种怪响。

“现在开始测试，各控制台报告数据。”

“心一个。”

“肝一个。”

“肚一个。”

“肾一个。”

“停——肾怎么是一个？”

操纵员从仪器后面探出头问元豹：“你那个腰子呢？”

孙国仁猛地撕下元豹嘴上的膏药，元豹嘴通红地问："不能一个吗？"

"不能，"操纵员说，"都是两个，好好想想哪儿去了。"

"想不起来，我小时候老丢东西。"

"看看这腰子尺寸。"主管大夫说。

操纵员又埋头仪器后面，俄顷，报告："有菠萝大小。"

"这不结了，一个顶俩。"主管大夫对众人说，"继续。"

"肺八百来米。"

"脂肪能插住筷子。"

自动记录仪"嗒嗒"记录着，把所有数据打在一条长长的纸带上。

主管大夫和白度手捧着纸带一段段看着。

"基本完好，"主管大夫对白度说，"如果不作解剖标本的话。"

"松绑。"白度对大汉们说。又对从椅子上站起来，活动着麻了手腕子的元豹说，"请到这边来。"

唐元豹被魁梧的孙国仁抓着胳膊在长长的走廊里快步地走。

另一间雪白的诊室里，一排大夫抬起眼看被孙国仁踉跄按坐在椅子上的元豹。

一个戴墨镜的中年大夫手里握着厚厚一叠卡片在桌上轻轻敲着，和气地说：

"下面我们做一次小小测验，请不要紧张，就像小时候你父母对你提问一样，回答不上也没关系，相信你能回答得很好，都不是些很难的问题，千万别紧张。"

"请吧，"唐元豹诚恳地说，"我尽量满足各位。"

“谢谢。”大夫说，“下面开始，请看我手中的卡片。这上面画着一只猴子和一个人，我的第一问题是，你能否用一句话说明人和猴子最根本的区别——请你回答！”

“猴子全身有毛，人只在几处有毛。”

“回答正确，得分。”

唐元豹嘿嘿地笑，美滋滋地瞅着另一个大夫手里的记分牌，看到白度，立刻不笑了，严肃地坐好。

“下面我问第二个问题，还是这张卡片，这只猴子和这个人，是猴子的脸皮厚呢还是人脸皮厚抑或是一样厚——请你回答！”

“人脸皮厚。”

“回答错误——扣分！”

“没错。”元豹看到刚得的分被扣光，有点急，“是人脸皮厚吗。猴子的脸老是红的，而人几乎不红，明显厚于猴子。”

“你错了，应该说猴子的屁股老是红的，而人的屁股几乎不红——晒也不红。当然问题不在这儿，我问的是脸而不是屁股。这一题的正确答案应该是猴子脸皮厚——因为人没脸。”

“那你冲着我的是什么？”

“面，面部。”大夫沉着地说，“这是一道思辨题，你没有正确理解题意。”

“你接着问吧。”

“第三问：就你看来，这只猴子和这个人谁身上传统观念更强些？为什么？”

“猴子，因为猴子一直没怎么变，而人总是在不停地变。”

“回答正确。得分。下面我问第四个问题。在你看来，这只猴子和这个人谁更快乐？为什么？”

“一样快乐，因为猴子不学习人学习，学习不学习都有无穷的乐趣。”

“回答错误，扣分！不学习怎么会快乐？人不学习要落后，连这句话都没听说过吗？”

“可猴子不学习也不落后。”

“你还认为它们不够落后吗？”

“它们谁也不学习。”

“你向谁看齐？谁是你心目中的榜样？是非颠倒，人妖不分……没词儿了吧，说理你可说不过我，因为我比你爱学习。下面我换一种方式提问，还是这张卡片，还是四个问题，当我提问时你只需回答是或不是，要立即回答，不许思考。第一，这猴子在这人面前是不是有自卑感？”

“是！”

“得分！二，这人要想弄死这猴子是不是一定能成功？”

“不是。”

“扣分。”

“当然不是，这人一没组织二没枪，一对一。猴子弄死他还差不多。”

“第三问，既然猴子和人有血缘关系，你是人，那你和卡片上这只猴子也有血缘关系了？换句话说，你们是亲戚，但若把这只猴子交给你赡养，你仍会虐待它。”

“是！”

“扣分！现在我们来看看你的得分情况。”大夫回头看记分牌。“很遗憾，你一分未得。”

“我想问问你们根据什么标准打分？”

“印象。”大夫说，“我们全凭印象打分。你认为不公平吗？”

“不不，我认为再公平也没有了，要不凭印象那才怪呢。”

“这样吧。”大夫和其他人咬了阵耳朵，对元豹说，“我们再加一道题以决雌雄。还是这张卡片，这只猴子和这个人……”

“你是否能把你手里的其他卡片亮出来考考我——那么厚厚一沓。”

“否！在人生的问题上，你只要回答好一张就不错了——那些卡片是为别人预备的。还是这张卡片，这只猴子和这个人，你能不能告诉我们这么互相凝视心里在想什么？”

唐元豹和大夫互相凝视着。

“它们共同在想，可别变成它那样。”

“你得出什么结论了？”白度问大夫。

大夫看看白度，又看看元豹。

“很遗憾，我还是不能给他得分，当然，也不必扣分——我还得琢磨琢磨他这句回答。”

“那就谈谈印象，你不必急于给我一个科学的答复。”白度说。

“印象？”大夫人往椅背一靠凝视着元豹。“智商不高这是毋庸置疑的。大忠似奸，寿命很长，结两次婚，绝后，有小财犯小人关键时刻有贵人相助。这样吧，我送他两句诗，这样也许能把我的意思说明白些。‘春风有意缠杨柳，路上行人欲断魂’——没看他手相前，我只能说这么多了。”

“书上可不是这么说的，让我们把书翻到四十四页倒数第四行。”

审讯室里，秃头胖子声音琅琅地念着书：

“是夜，全城火光冲天，枪声炽盛，洋兵如虎入羊群，四处烧杀，兵勇拳民做鸟兽散。一绝法师等辈在哈德门陷入法兵之手，虽做努力厮打状，终不敌被缚，卯时三刻，被法人斩于菜市口，同时赴死的还有义和拳匪的其他领导人大刀王五小刀赵六等百余人……”

胖子抬起头对戴着老花镜用手一个字一个字指着辨认的唐老头儿说：

“当然，尽信书不如无书，这本《青楼忆旧》也不过是谈鬼说怪之作，但既是一家之说亦可姑妄存之。我们都有这种体会，谣言往往是事实的孪生姐妹。”

“这么说是我错了？”唐老头儿抬起脸，愣愣地说，“可我确实记得我被日本人抓进炮楼枪毙过一回。”

“你看过《小兵张嘎》对吗？”

“看过。”唐老头颔首。

“这就不奇怪了，前几天我们审问过胖翻译，连他都忘了当时他是站在日本人身边还是日本人对面。”

“为什么我不能被日本人毙一回再被法国人毙一回？反正我死里逃生已经定案。”

“没说不可以，问题是你赶得及吗，被日本人毙完再赶去让法国人毙？”

“我认为是可以的，逻辑上也说得通。当我饮弹倒下后，闭上眼睛装死。日本人走后，我爬出万人坑，从地上站起来揩干净身上的血迹，怀着对帝国主义的刻骨仇恨，重新又开始战斗啦。”

胖子歪着头琢磨着唐老头儿的话：“听上去也没毛病。”

“我沿着东四大街一路向南杀去，哪里枪声激烈，我就出现在哪里。肠子流出来了。我把它塞回去；眼珠掉出来了，我把它吞下去。当时我什么都来不及想。脑海中只有一个念头：不能倒下，我倒下，中国就完了！”

“后来呢？”

“后来我终于倒下了。只觉得眼前一阵阵冒金星，接着天旋地转，接着一片漆黑……”

“你对在菜市口被斩还记得些什么？”

“我醒来就在那儿了，大家排着队等着砍头。什么也来不及说，就轮到我了。至于砍头怎么砍，那就像剁排骨差不多，一手按着一手操刀。”

“总不会一句话没有吧？当你和战友告别，当你面对刽子手，按理，总要讲几句。”

“好像，好像是说过世界革命万岁。”

“不能。”

“噢，想起来了，我和王五只是互相握了握手，用眼神儿互相勉励了一下。接着我转过身对刽子手斥道：‘我们中国，就要亡在你们这些人手里了！’”

“这看来是真话。刽子手是中国人？”

“不，法国人。”

“现在请举起你的左手，握拳……这只，这只是左手。好，让我们宣誓。”

“向谁宣誓？冲着谁？”

“向我，看着我。”白度和唐元豹各举着左拳面对面站着，互相庄严地凝望。

“我念一句，你念一句，服从组织，牺牲个人……”

“我念一句，你念一句，服从组织，牺牲个人……”

“从今后，除了组织我就没别的亲人了。”

“从今后，除了组织我就没别的亲人了。”

“头可断，血可流。”

“头可断，血可流。”

“上刀山，下油锅。”

“上刀山，下油锅。”

“眉头都不带皱一下的。”

“眉头都不带皱一下的。”

“不求同年同月生，但求同年同月死。”

“不求同年同月生，但求同年同月死。”

“版权所有，不得翻印。”

“版权所有，不得翻印。”

“单方违约，赔偿对方一切损失。”

“……赔偿一切损失。”

宣誓完毕，白度热烈地和元豹握手：“从今后，咱们就是同志了。”

元豹喜洋洋地咧着大嘴笑着：“这么说还不够味儿。应该说从今后咱们就……就……不是人了——不是一般人了。”

“我非常想知道，你是怎么死而复生的？要知道，除了你，别人都没活过来。”

“你没听说过那句话吗？中国人民是杀不死的。”

“我倒听说过这句话：中国人民是杀不完的！”

第六章

“哐、哐、哐——滴答滴、滴答滴、滴答滴答滴……”

一队女中学生打着鼓、吹着号迈着整齐的步伐出现在繁华的街上。

在她们队伍的后面，几个精壮的扎羊肚手巾的农民围着一架支在平板车上的大鼓，棒穗飞扬地拼命擂，“咚咚咚。”

五花八门的民间艺人跑着旱船，舞着狮子，踩着高跷，喜洋洋地铺天盖地而来。

民间艺人后面缓缓开来一辆“解放”牌大卡车。唐元豹背手站在上面，脑后插着一支大木牌牌，身旁站着两个全副武装的彪形大汉，神态严峻。

路上的行人看到此番景象正在纳闷，忽见身边跳出几个戴眼镜的书生振臂高喊：

“热烈祝贺中国头号男子汉的诞生！”

喊完拼命鼓掌，接着又喊：

“打倒帝国主义！帝国主义及其他一切反动派都是纸老虎！”

有些人还掏出传单撒起来。

行人盲目地跟着眼镜们喊起口号，热烈地冲卡车上的元豹鼓掌欢呼：

“热烈祝贺中国的头号男子汉的诞生！”

“我早说过，群众中蕴藏着巨大的热情。”

卡车驾驶室里，孙国仁沾沾自喜地对白度说：“现在你相信了吧？”

“我还是不同意过早地抛出唐元豹。荣誉过早到来，不利于他的改造。”

“你得替我想想，赵老下了死命令，利润指标一定要完成。”

“我懂，你也是不得不施法。”

卡车随着花红柳绿的秧歌队驶上另一条街，只见刘顺明正在前面路边跑前跑后地指挥着他手下的黑狗子调度坛子胡同的欢迎队伍。

坛子胡同的老少爷儿们姑娘媳妇都被轰出来，在大街上靠墙根儿一字排开，刘顺明手下的人正在挨个给他们发纸糊的小旗。

刘顺明手里拿个小旗站在队前对坛子胡同的居民做着示范。

“卡车一到跟前，你们就这么晃动小旗，大声欢呼，记住，要欢呼出朝鲜人那种激动万分、情不自禁的劲儿，有想哭的也别不好意思。”

“来了来了。”一个黑狗子奔过来嚷。

刘顺明猛一回头，猪八戒、秦香莲近在咫尺地冲他摇头晃脑。卡车驾驶室里白度、孙国仁的脸也清晰可见。

“乌拉——！”刘顺明冲动地伸出双臂做陶醉状。

“乌拉——！”他手下的人纷纷伸出双臂。

男人们摘下帽子冲元豹摇晃着欢呼。妇女们手舞小旗挤成一堆有节奏地颠动着身子，嘴里发出“啊啊啊”的声音。

“乌拉——！”刘顺明再次前倾伸出双臂，微笑地闭上眼。

“我怎么记得早年间也这么上过一回街。”李大妈踩电门似的抖着一腮帮子肉悄没声地问旁边的元豹妈，“手里拿着小旗，冲人哆嗦。”

“一九四九年。”

“还早。”

“那就是一九三七年了。”

卡车驶上另一条街，街上的人都横眉立目地瞅着卡车上的唐元豹。一些妇女还咬牙切齿地朝地上吐痰，指着唐元豹骂：

“这样的坏人，不杀怎么得了。”

“这是怎么回事？”白度问孙国仁，“这儿没咱们的同志吗？”

“北京太大，安插不过来。同志们一条街一条街地鼓动，已经疲于奔命了。”

“那就应该把路线规划好，只走大街。元豹同志会怎么想？”

元豹笑嘻嘻地不管人家是骂是笑一概报之以温存。

里外装裹得犹如大庙一般的“宝味堂”饭庄张灯结彩。

白度、孙国仁等簇拥着一脑袋痱子的唐元豹一手提拎着裤腿急步蹭行在又宽又陡的汉白玉台阶上。

站在大殿前迎候的赵航宇及一干肥头大耳者劈劈啪啪地鼓掌，笑容可掬。

赵航宇几步赶上前，执住元豹的手，笑着寒暄：

“元豹兄，一路可好？”

“好，就风硬点，日头毒点。”

“不认识啦？”孙国仁看见元豹瞅着满面油光的赵航宇犯愣，忙上前介绍，“这就是赵航宇赵主任，把你们爷儿俩发掘出来的就是他老人家呀。”

“噢，赵主任，赵主任可好？要没您还没有我们爷儿俩的今天。”

“好，好，好得不能再好了。”赵航宇执捏着元豹的手引到那排肥头大耳者的队前。

“我来给你介绍一下，这些都是‘宝味堂’的经理们，爱国者。别看是买卖人，全深晓大义，非常痛快地答应了赞助你的一日三餐，还保证喂好喂肥。”

“啊，壮士。”为首的胖经理握住元豹的手说，“我们兄弟几个已经决定豁出去了，宁肯倾家荡产和你们一起要饭去也不能担个汉奸的罪名。既是躲不过这一劫，不如死里求生，只当又过回日本人。”

“好汉，我与你真是相见恨晚。”

“进去吧，各位，大热的天咱别老站在这儿说个没完。”孙国仁催促。

“走，里边说。”经理挥了把泪请众人入内，“好歹来吃我的也都是中国人，我也聊以自慰，没胖老外。”

穿着清朝太监服饰的服务员躬身为众人打帘。

众人迈过高门槛，进入阴森森的大殿，一路说笑着向那铺着鹅黄台布，摆满晶莹剔透餐具的大圆餐桌走去。

“这街游完了，布告贴出去没有？”赵航宇走在后面小声问孙国仁。

“贴出去了，一游完就分头去贴了。您放心吧，我这步骤都是配套成龙的。”

众人在大圆桌边分头坐下，赵航宇打开叠成鹤式的餐巾塞脖领子里挂上，兴致勃勃地对元豹说：

“这儿的菜都是很有特色的，你要认真吃哟。”

“现在我来说两句。”白度站起来对大家说，“今天我们选中‘宝味堂’开吃是有目的的。一是庆祝。二呢，实际上也是同时就开始了对唐元豹的教育、改造。‘宝味堂’的菜有个特点，那就是寓教于吃。每道菜都渗透着中国文化的博大精深，吃罢令人沉思，不妨称之为‘文化菜’，在这里吃一次饭就相当于上了一堂生动活泼的中国文化集锦课。纵观世界历史，一个民族的文化传统通过吃世代相传地保存下来，我们还独此一家。这也是我们民族数千年绵延不绝，始终屹立于世界民族之林的一个根本原因。辫子可以剪掉，脚可以放开，大褂也可以换成西服，但不能不吃，于是就产生了民族凝聚力，于是我们就感到了身为炎黄子孙的自豪。我们的祖先为了使我们不忘本费了多少心机啊——下面开吃。”

穿着戏中丫环服饰的女服务员鱼贯将一道道美若盆景的菜肴端上来。

桌上的所有人顿时目光灼灼。

胖经理没精打采地站起来，为嘉宾们介绍着每道菜的名堂和讲究。

“这道菜是由三枚核桃仁和一只肉丸子烧成，名为‘三人行，必有我师’。肉丸子叫狮子头。”

“呀——！”

“这道菜是由三十六种调料煨出的肚丝马铃薯，叫做‘万般皆下品——唯有读书高’。”

“噫——！”

“这道菜是砂锅炖蘑菇，叫做‘国中不可一日无君’。”

“噢——！”

“这道菜是一只小母鸡和一只大公鸡一只小公鸡一只公螃蟹熬的汤，叫做‘在家从父出嫁从夫，夫死从子’。”

“哇——！”

“这道菜很简单，就是煮的嫩鸡蛋，蛋是公是母自然是无法判定，所以就叫‘不求有功，但求无过’。”

“嘿——！”

“这道菜是熊掌和鱼一起放上锅蒸，熟后把熊掌拣出，只上鱼，叫‘鱼和熊掌不可兼得’。”

“噢——！”

“这是一道炖肘棒，肉已全部脱骨剔除只剩骨头，叫做‘软弱走遍天下，刚强寸步难行’！”

“唉——！”

“这是一道清炸蝎子和蚯蚓，叫做‘见怪不怪，其怪自败’。”

“哟——！”

“这是一道烧鸽子，叫做‘枪打出头鸟’。”

“这是一道琼脂、可可和五个鸭子嘴做的甜羹，叫做‘穷寇勿追’。”

“这是不煺毛的马肉，意思很明白了，‘人穷志短，马瘦毛长’。”

“这是一道烤全猪，厨师特意为猪做了整容，使其面部坚毅安详，寓意‘好死不如赖活着’。”

“……”

“感觉如何？”白度低声问元豹。

“特别受教育。”一直在犯愣的元豹回过神来，忙不迭地说。

“这才是开始，你要学的——多了。”

“我睡在哪儿？”

元豹饭后被白度领到了他的宿舍。那屋里空空荡荡，什么家具也没有，只有一个部队食堂常用的条凳。

“你就睡这条凳。”白度说，“从现在起你就必须对自己严要求了。有什么问题吗？”

“不不，没有问题。”

“那就抓紧时间睡吧——晚安。”

“晚……安。”

元豹送走白度，走过来反复打量着这条凳。设计半天，把自个儿蜷着放上去。刚欲闭上眼睛放松一下，便掉了下来……

隔壁房间里，白度正和孙国仁研究工作。孙国仁对白度汇报说：

“有的科目落实了，譬如说与名师做一夕谈。当然你点的将我都没约上，大家都太忙，而且只度女身不度男儿。我找的这位圣人也可以，也是火眼金睛一肚锦绣。最主要的是人家完全科学化管理了，装了一套投币系统，不管亲疏，投足硬币就开口说话，不用托关系走后门，十分便当。”

“那话的质量如何？”

“自然也是字字珠玑，圣人吗，嘴里还不都是象牙？求他的人可多了。我打听过，听过他‘侃’的人出来都长脾气。人家说，这位圣人不但话说的质量高数量上也不让你吃亏，只要让他开了牙，小喷子似的，不到点就一句不停。人家过去全是八千人以上大会才开牙，说四五个小时跟玩儿似的。眼下就是给你们发点余热。闲着也是闲着，怕你们没头苍蝇似的找不着要走的道，解一庙里开个门诊部，指点迷津，治病救人。”

“好好，多亏他们闲着了。”白度说，“否则咱们还真走投无路。”

“政治教育这科吧，我联系了很多地方。”孙国仁说，“都是美国回来的人在讲，不太合适。我四处打听，跑遍全城，咱不是要找一纯而又纯的吗？眼下只有一个地方了，我已经跟他们联系上了，他们同意我们去参加他们的活动。不过行动要保密，去的时候要化装，对上暗号才能进去。暗号我已经搞来了。”

“好，这事我们马上就办。”白度问，“还有别的吗？”

“别的暂时还没有什么。别的都还顺利，就这两件事有点麻烦。”

“今儿就到这儿吧。”白度伸了个懒腰，打了个长长的呵欠，“你也早点歇着吧。忙了一天够累的。”

“我睡不着啊。”孙国仁用电炉子煮了锅开水，沏了两杯茶说，“一想起我们干的事业就激动得睡不着觉。”

“是啊。”白度双手捧着茶杯说，“我也很激动。我是第一次觉得自己活得像个人。我们能投身到这场改造人的伟大洪流中真是幸福。”

两个人憧憬着，遐想着，电炉子把两人的脸映得红彤彤的。“等革命成功咱们再好好睡。”

第七章

白度领着元豹鬼鬼祟祟地在大街上走。白度戴个大墨镜，元豹戴顶鸭舌帽，帽舌拉得很低。

大街拐角的墙上、电线杆子上，都贴着大小不一的印有元豹照片的布告，布告落款孙国仁的签名处打着大红叉。

一群群闲人围着布告看，有人在大声念：

“唐元豹，男，身高一米七四，方脸，无明显痣记。体貌端健，爱好文学，有住房。离家时上身穿乳白褂子，下身穿咖啡色条线裤，脚蹬黑色人造革凉鞋，左手戴蓝手套……”

元豹跟着白度拐进一条小胡同，白度突然撒腿跑起来，敏捷地钻进一家女厕所。元豹也跟着跑起来，到女厕所前一个急刹车。

元豹和白度换了行头，元豹戴上墨镜，白度戴上鸭舌帽，大摇大摆地走出胡同。

一辆公共汽车驶来，停下，白度蓦地冲过去挤了上去，元豹紧随其后挤上去。待公共汽车正要关门开走。白度又扒门跳下。元豹被夹在了车门中，苦苦哀求售票员，在全车人一致痛骂下，狼狈地跳下来。

一间门窗用毯子捂得严严实实的房间里，灯下坐着一群神色呆滞的男女。

有人敲门，一个大汉把门打开一条缝堵着门问："找谁？"

"三哥让我带个话，说三嫂从乡下来了。"

"三哥身体好吗？"

"好，就是脸上长了点桃花癣。"

"进来吧。"大汉让开。

白度领着元豹兴奋地走进来，坐着的人中站起一个大背头戴眼镜穿大褂的瘦削男子和白度握手：

"一路上怎么样？"

"有个尾巴，被我们甩掉了。"白度摘下鸭舌帽，对男子介绍元豹，"刘先生，这就是我常跟你提起的那个工友唐元豹。"

"欢迎你。"刘先生和元豹握手，"早就听说你的事迹了，一直想见你。"

白度一捅元豹："我来时怎么教你的，都忘了？"

"我也早想来见您，我心里这盏灯啊，就差有人来给点了。"

"一样。"刘先生一指其他男女。

白度和元豹坐下，旁边的一个肥蠢的男人迟钝地伸出一只手，元豹连忙握了一下，笑笑，男人毫无反应。

"现在我们开会了。"刘先生摸了摸自己的头发说，"今天我要给工友们讲的是为什么要在中国进行阶级斗争。"

"为什么？"一个胖子瓮声瓮气地问。

"因为只有进行阶级斗争，我们才能过上好日子。这里有不愿意过好日子的吗？不愿过的请举手……没有。那好，为什么要搞阶级斗争都明白了吧？”

屋里的声音变得嘁嘁喳喳，所有人说话都把声音憋在嗓子眼里。

“过去我在太行山打游击时，当地老乡就管我们叫‘苦人儿’。”肥蠢的男人自言自语。

“所以嘛，我割资本主义尾巴时最坚决。”一个憔悴的中年女子说，“没饭吃还可以讨，没了主义有吃也吃不香。”

“姐妹们心里都闷得很。”小姑娘望着天花板，充满幻想地说，“为谁梳妆为谁愁。”

精神病院白色的大楼外面，神色憔悴的元豹跟着依旧庄敬自若的白度走出来。

“感觉如何？”白度边下台阶边问。

“好多了，头不那么晕了。”

“要多了解社会。”白度自顾自地说，“三人行，必有你师。”

“是是，我发现了。”元豹捏搓着太阳穴说，“冒昧问一句，你是党员吗？”

白度蓦地停住，回头盯着元豹，爆发：“你才是党员呢。”

| 第八章 |

推土机开足马力向前冲去，“轰隆”一声，唐家小院的院墙坍塌了一段，碎砖堆了个斜坡，灰尘弥漫。

元豹妈冲到总指挥跟前喊：“那不是有门吗？拆墙干吗？”

“老太太。”总指挥耐心地解释说，“我们有我们的工作方法。您见有哪个考古工程是由门进的？都得又挖又刨。”

“没门你挖，有门你还挖个屁！”

“十分抱歉，我无权违反操作程序，工人们也更习惯这种工作方法。”

推土机彻底推倒了院墙，开进院，向房子冲去。“轰隆”一声，房子也被撞开了个大口子，坍塌的墙壁掩埋了室内的家具什物。电线着了火，一条火舌在瓦砾堆里流窜，不时响起电器爆炸声，闪出一团团火光。

“你们这是毁我呀！”老太太顿着脚哭叫，“日本人当年也没扒我的房。”

“刘司令，”总指挥板着脸招呼刘顺明，“请把这老太太带离现场，她闹得我心情很不愉快。”

“我跟你们这些王八蛋拼了，不就是一死吗。”

“走吧，老太太。”刘顺明对元豹妈说，“您怎么就不明戏呀？这叫‘做旧’，这旧货比那新的还卖钱。”

“这道理我死活明白不过来。”

“想啊，新你能新过洋人吗？咱中国在世界人眼里还有点分量不就是因为咱趁旧货。”

“走吧，妈。”元凤挟着铺盖卷也过来劝她妈，“我哥临走时不是留下话了：坚强点！”

“家也抄了，人也没了，是死是活我不知道。我这一辈子白忙了。”老太太簌然泪下。

“又不是咱一家遭难，咱难，组织更难，共渡难关吧。”

“带她们去安置点。”刘顺明湿润着眼睛，对一个手下人挥挥手。

一队工人手拿铁锹、扫帚开进现场清理通道。前边铲，后边扫。一队考古队员手拿刷子、放大镜紧随其后。他们在被夷为平地的唐家宅子的瓦砾堆里翻砖掀瓦，拣出各种瓶瓶罐罐，仔细地扫去上面的尘土油垢，用放大镜凑近端详着。

“说好了啊，”刘顺明对总指挥说，“老头子的遗物归你们，儿女的东西归我们。”

元凤搀着她妈，一步一回头地含泪离去。她们在胡同口遇见李大妈、黑子娘儿俩，他们也背着大小包袱满脸悲苦地往外走。

李大妈一见元豹妈就哭开了：“你们倒还算毁家擒王，我们招谁惹谁了？”

“你们这是奔哪儿？”元凤哽咽着问黑子，“安置点不出胡同呀。”

“逃荒去。”黑子悲愤地说。“我们不去那集中营。”

“你们的弟兄们呢？”元豹妈问黑子，“平时欺行霸市的，真有了事倒不见了。”

“都叫刘司令的人给缴了械。”黑子垂头说，“一部分进了战俘营。一部分当了伪军。”

“这刘司令到底是哪的司令？”元豹妈问，“是咱政府的司令吗？”

“谁敢问哪。”黑子说，“我是一见穿制服的就晕。”

“他大伯有消息了吗？”李大妈问元豹妈，“怎么没见和大侄子一起游街？”

“许是不至于给毙了，好歹是落在自己人手里。”

“你当时是抱着什么动机参加义和团的？”

“我本意没想参加义和团，想到绿营当兵来着。我妈是醇王爷的奶妈，我曾去找他‘赏碗饭吃’。他劝我回乡安心务农。说越是王爷喜欢的人越不能特殊，得给其他人做个榜样。这样王爷在朝里在皇上跟前在其他王爷跟前说话腰杆也硬。后来开始闹义和团，乡下待不住了，我又去找王爷，要求参军。王爷听了我介绍完乡下的情况，沉思片刻对我说：‘你能不能写个报告，我给皇上递上去，乡下的情况这么严重，皇上还一点不知道呢。’我说王爷的吩咐小的自然从命。三爷教我怎么写，然后让我按上手印，叮嘱我不要告诉别人这事他知道。我知道王爷也有难处，大清这么困难，王爷要再倒了就再没人支撑了。就说事我全担着，要杀要剐我一人领不能连累王爷。接下来王爷又语重心长地对我说，他反复考虑过了，我留在朝外比在朝内强，义和团里有我很多哥们儿，我以在野之身更利于团结他们为大清效力，引导他们把运动方向扭转到‘扶清灭洋’上来。”

“合着‘扶清灭洋’的口号是你提出来的！”

“不假，我唐某只知效忠国家，当时只知有曹，不知有汉。要抗战吗，就得官民一体，上下拧成一股绳……”

“就凭这条，定你个叛徒、内奸有富裕。”

白度和元豹双手合掌站在庙门口伸着脸瞪着眼，让一个穿皂袍的小和尚手执毛笔，饱蘸红漆在他们眉心、鼻尖点上两个大红痣。然后，二人加入一步一磕头、站起跪下走走停停的朝拜队伍向香烟缭绕的大雄宝殿移动。

钟声洪亮，梆子清脆，一尊满脑袋卷毛垂着两只大耳朵脸蛋丰满的佛爷合眼含笑躺在铺满鲜花的莲花宝座上。身后左右站满老少和尚歌唱家一般抱着手摇头晃脑地哼唱着抑扬顿挫的经文。

朝拜队伍里的男女老少诚惶诚恐地依次匍匐在佛爷脚下，叩头如捣蒜，站起来绕着莲花宝座瞻仰一圈，捂着鼻子流着泪，含悲忍痛泪汪汪地依依不舍而去。有站住的，立刻被旁边的和尚拽走，以免影响后面参观的人。

出口处还站着一排哭哭啼啼的尼姑，每人手里拿着一个痰盂，人们走过她们身边时都要和她们握握手，往痰盂里扔几个叮当作响的硬币，说些安慰的话。有些感情冲动的女人还同她们拥抱，哭作一团。

白度和元豹走进大殿，恭恭敬敬向卧佛鞠躬，跪下叩头三下。然后站起来走到卧佛面前深情地凝视。他们没像其他人一样绕场一周就出去了，而是掏出数捆硬币掰开雨点般倒进莲花宝座下的一个大号痰盂中，痰盂发出悦耳的声音，莲花宝座上的鲜花丛中突然跳出几只金制小鸟嘁嘁喳喳地叫，东看西看。

大殿登时肃静了，所有人都不动不哭不唱了。一阵管风琴的轰鸣响起，庄严肃穆气氛中只见佛缓缓坐起，缓缓转向白度和元豹，莲花宝座也在同步转动。

“你们好。”大佛眼珠忽闪忽闪，嘴一张一合，发出金属般的声音，“你们是要下棋还是打乒乓球？”

白度急忙跪下：“万能的主啊，我们既不是要下棋也不是要打球。我们只愿得到您的关怀和恩赐，感谢您赐给我们粮食使我们免受饥馑，感谢您赐给我们衣服，使我们遮羞温暖……”

“我的孩子，不要说这些感激的话。你的主不吃马屁。你的主知道，人的颂扬越热烈，对你的主的要求就越贪婪。”

“圣明的主啊，既然您洞察一切，那我就简短直说了。”

白度把元豹推向前去。

“请看你面前的这个人啊，告诉他他从哪儿来到哪儿去。洗净他蒙污积垢的灵魂，还我一颗赤子之心。”

“你来于尘土也将归于尘土，你的肉体必将经历苦难而你的灵魂未必得救。把你的牛羊舍我。我必使你快乐。不要说谎不要扒女澡堂，当你接受不义之财时你也就领到地狱的出入证。当你把最后一口窝头给了比你还饿的人你也就在天堂的银行存进了一笔美元。爱你的仇人当他打你的左屁股时把你的右屁股也给他。讲文明讲礼貌守纪律，上车让座过马路走人行道红灯停绿灯行公买公卖不拿群众一针一线一切缴获要归公敢于同坏人坏事作斗争……”

“主啊，我怎么越听越熟悉。”

“我的孩子，主说话也得有点套话……形势大好，不是小好……时间过得真快啊，又是一年过去了……”

“主啊，没啥说的就到这儿吧。”

“我的孩子，主也得讲职业道德，你交了十分钟的钱，主就得跟你说上十分钟，不能缺斤少两。”

“主啊，既然时间还早，您干脆给他看看病吧？”

“我的孩子，那主就给你露一手吧。你这孩子胃不好，小时候老感冒，还爱蹿稀，一吃生黄瓜就蹿稀。”

“万能的主啊，我这点嗜好怎么全叫你给瞅出来了。”

“我的孩子，主也不是吃干饭的。”

“哎哟。”大佛的声音变了，脸虽仍是笑嘻嘻的，嗓音却露出惊恐。大眼珠子左右转动，做寻觅状，最后定在白度身上。

“我的孩子，你带来的这是个什么人？为何如此怪诞？”

“我的主啊，是什么使您惊恐？”

“我的孩子，你自己看看吧，此人身上必有妖魔附体，以后再追究你等不敬之罪。”

“我主慈悲，万望救小人则个，擒伏妖魔。”

“此妖我也没见过。隔行如隔山，不是一路子。你们可去找张大仙，听说她灵得很，专事请神驱鬼，很有些神通。”

“威——武——！”

四周的和尚一齐喝堂。

一见这阵势，白度也傻了，手扯着元豹脚不沾地儿地落荒而去。

晚上，天色昏黄，白度、孙国仁站在没开灯的屋里，瞅着元豹琢磨。昏暗中，元豹面目模糊，站卧行走悄无声息，窗外街灯透进来，端的有些鬼影倏忽。

“二位，别信那老和尚的。”元豹被二人看得发毛，一个劲儿申辩，“我也是红旗下长，蜜罐里泡，始终一贯沐浴着阳光，哪儿来的鬼呀？”

“别走近！”白度伸手制止元豹，“身上没鬼，心里莫非也没鬼？”

“没有。”元豹拍着胸口说，“除了二两心头肉就是一腔心血。”

“我看还是打打的好。”孙国仁说，“没做亏心事不怕鬼叫门，有则改之，无则加勉，万一心怀鬼胎呢。”

“不可能。”元豹说，“我从小就吃宝塔糖；蛔虫都存不住何况一个大活鬼。”

“张大仙的情况你了解了吗？”白度问孙国仁。

“了解了。”孙国仁说，“海淀苏家坨的一个老太太。小时候被鬼捉去过一回，一年后回来，就能打鬼了。长城以南黄河以北的鬼她全认得全叫得上名儿。”

“那她是人是鬼？”

“介于人鬼之间吧，跟人也熟，跟鬼也熟，不干人事但吃人饭。日本鬼当年蹚八路的地雷阵都绑上她和羊一起打头阵。”

“准有鬼，我一进这屋就闻见鬼味儿了。”

一个一身素白，白衣白鞋白头发的小脚乡下老太太手提着一把长穗木剑雄赳赳地走进元豹住的宿舍，东张西望着，皱着鼻子，闻来闻去。

元豹忙站起来，赔着小心：“开窗通通气儿您再闻，我刚拉过裤子。”

“你就是磕一屋子臭鸡蛋，我也闻得出你身上的鬼味儿。”老太太哼了一声，不屑地说。继续在屋里走来走去，东瞅西瞧。

孙国仁叼着一根烟，瞅着老太太，看了眼白度，似笑非笑。

白度白他一眼，严肃地跟着老太太在屋里一起转悠。

老太太伸手摸了下窗台，白手套沾满了灰：“这屋里够脏的，难怪招鬼。”

“这样吧，”老太太转身对大家说，“咱先查查这鬼是谁，然后再考虑请谁捉它。鬼也不是什么人都怕，跟人一样，各有各的克星。”

“您请便，现在您就是这儿的神了。”孙国仁张罗着，“大家闪开，给老太太让出个表演区。”

“你们这儿有录音机吗？”老太太掏出盘磁带，“得先让这玩意儿转上。”

“有有，早给您预备下了。”孙国仁搬出台录音机，放上磁带，按下键，屋内响起徐缓沉重的哀乐。再看老太太，早已闭眼舞起太极剑。边舞边哼，随着音乐的变化，唱出词儿来：

“啊，多么辉煌……暴风雨过去，天空多晴朗……我左看右看前看后看可什么也看不见到处是人的海洋和交通的堵塞瞭得见村村瞭不见人我泪个蛋蛋抛洒在沙蒿蒿个林……”

音乐变快，时张时弛，曲调混杂，前言不搭后语，完全令人摸不着头脑。

老太太也越舞频率越快，扭胯摆臂，双肩抖动；时而鹞子翻身；时而猴儿捞月；时而倒踢紫金冠；一支剑耍得银链一般，寒光缠身，飒飒唿哨。不管老太太是头冲下还是头在裆里，那词儿仍是字字清晰，悲凉苍劲，学龙像龙，学狗像狗。

“千里刀光影仇恨满九城也许你的眼睛再不会睁开男子汉大丈夫应该当兵风雨中战斗了多少年……”

“这还是个英魂。”孙国仁小声对元豹说。

“我也听出来了。”

老太太的唱词开始变得迭声发问。

“张老三，我问你，你的家乡在哪里，为何要离别你的故乡离开你心爱的姑娘……我和你无仇又无怨偏让我无颜偷生在人间……”

“行了，问清了。”老太太突然收势，恢复常态，擦着汗对白度说，“把磁带倒回去，音量放大，听听。”

白度把磁带倒了几圈，将音量放到最大，重新放声。

老太太的歌声顿时充满房间。

“张老三，我问你，你的家乡在哪里？”

录音机强大的电流声里突然响起微弱遥远的男声，那声音悲愤绝望，但隐约可辨：

“河南汤阴。”

老太太的歌声：“为何要离别你的故乡离开你心爱的姑娘……”

“……风波亭……”

“天哪，岳飞——岳大人。”众人一起惊叫。

“我和你无仇又无冤偏让我无颜偷生在人间……”

“跟着感觉走……”

“丢那妈！”元豹登时就炸了。“什么叫跟着感觉走？你一个元帅跟我一个平头百姓有什么共同感觉？”

“求大仙指点。”白度拜老太太。

“你什么民族？”老太太点起一支烟，斜着眼问元豹。

“我？”元豹想了想，“满族。”

“这不结了，岳大帅当年就是跟你们结的仇。”

“可早五族共和了，我们不也被你们亡了一回国。”

“可岳大帅不知道。”

“或许知道了，感情也一时半会儿扭不过来。”。

“大仙，”白度皱着眉头说，“还烦您老跟岳先生说一下。元豹他是下三旗，军国大事从来就没份儿，让他老换个爱新觉罗什么的，那感觉可能更好点。”

“难办哪，岳大人的武功你们也不是不知道，除非他自个儿想走，武力驱逐怕是诸神都有些力不从心。”

“把我们那金兀术找来。”

“我试试吧。”老太太扔掉烟，用脚碾灭，瞧瞧元豹，“这位小兄弟可要受点罪了——把他吊起来。”老太太大喝。

元豹四马攒蹄吊在房梁上，底下用火烧着。老太太白盔白甲，手拿宝剑，作骑马驰骋状，颠到元豹跟前，横剑勒马，柳眉倒竖，杏眼圆睁，喝道：

“我乃金国四太子金兀术是也，姓岳的，还不快快下马受降。”

“我操你妈金兀术！”元豹被细麻绳勒得受不了，破口大骂，“瞅你丫那操性，跟鞋底子似的还金兀术呢！”

“我让你骂，吃老娘一剑。”

老太太劈头盖脸朝元豹一通乱劈乱砍。打得元豹吱哇乱叫：

“老东西，你还真下毒手。”

元豹被捆着仰面躺在条凳上，老太太骑在他身上，一边使劲蹲着屁股，一边用力撕他的嘴，拧他的脸。

“我乃大宋天子赵构，姓岳的，还不快快退下。”

元豹红着眼睛瞪着老太太：“你别让我起来，起来我就点你们家房。”

“还敢嘴硬，朕就知道你小子非反不可。”

老太太又是一通耳刮子。

“不行啊，软硬不吃啊，我就知道这岳武穆的骨头硬。”老太太挽着袖子拎着剑，气喘吁吁地对白度说。

元豹被绑在条凳上，孙国仁正在往他脚下加砖头，元豹声嘶力竭地惨叫着：

“我跟你们没完，你们这些刽子手！”

“拔他指甲！用烧红烙铁烫他！给他伤口上泼盐水！”

老太太咬牙切齿地指点孙国仁。

“这些要都不管用，最后就只好给他点天灯了。”老太太无可奈何地对白度说。

“你再想想还有什么人没请到的。”白度问老太太。

“请得动的都请了。哎哟……”老太太一拍脑门，“我怎么把他忘了。停停，你们都让开。”

老太太整整衣裳，摇头晃脑甩着袖子迈着鹅步走到元豹面前。

“岳元帅，认出我来了吗？我乃大宋宰相秦桧……”

元豹吃力地抬起头，茫然地看着老太太：“秦相国，饶命……”

元豹昏死过去。

“好了好了。”大家拍手雀跃，“还是秦相国管用。”

元豹被从板凳解下来，松绑。孙国仁口含一口水喷到他脸上。

元豹醒过来，睁开眼。

白度俯身关切地问：“感觉如何？”

“这老太太一准在中美合作所干过。”元豹说完又昏了过去。

“你们怎么能这么对待元豹同志呢？”医院的走廊上赵航宇怒气冲冲地和白度一同快步走着，边走边训斥白度，“确属必要，打也不是不能，但打得要有分寸，像母亲打孩子。”

“我们正是像母亲打孩子那样打的。”

赵航宇一进元豹的病房立刻满面笑容地伸着双手奔向元豹。

“我来晚了，元豹同志，让你受委屈了。”

元豹嘴唇颤抖着，哇地哭了起来，像孩子一样把头偎在赵航宇的怀里。赵航宇搂着元豹缠了绷带雪白硕大的头轻轻拍着。

“放声哭吧，出去可不许哭——一滴泪也不能让他们看见。”

赵航宇示意白度出去。

白度悄悄出了门，靠在门上喘了口气，反身又进了屋。只见元豹和赵航宇已经又说又笑的了。赵航宇一只手打着拍子，元豹容光焕发地仰脸朝着阳光和赵航宇一起唱着歌：

“小公鸡叫咕咕，少年把新娘找……”

白度微笑着：“瞧这一老一少的。”

“我说元豹，”赵航宇笑着对元豹说，“岳大帅附到你身上也是有道理的，绝不是像那个老妖婆胡扯的什么跟满族有仇，而是因为在‘精忠报国’这点上你们很相像，这是你的光荣。你要学习岳元帅，对同志春天般的温暖，对敌人严冬一样残酷无情。”

“那岳元帅要再来，咱们也别赶他了。”

“我同意，你说呢，小白？可以试一试嘛。”

“我们小唐经过这次考验更坚强了。”

元豹被夸得兴奋了，跳下床屈臂绷起那只好胳膊的二头肌，嚷：

“我还能吃得十斤肉，拉得十石弓。”

“好好，”赵航宇和白度一起连连点头，“瘦死的骆驼比马大，您腿上拔根汗毛比我们腰都粗。”

第九章

一条铺着红布的长桌上摆满手表、球鞋、茶缸、打火机和书信等物，每件物品上都挂着一个号码卡片。

礼堂里坐满了形形色色的男女老少，一个个好奇地伸着脖子看台上桌子上摆着的那些物品。

一遍铃响过，主持人穿着燕尾服，戴着白手套出来了，台下响起掌声，主持人向台下深深鞠躬，站到放着扩音器的讲台后面，拿起一把小锤子。

一个同样穿燕尾服的大汉手拿一支长木杆走出来站到桌后，同样博得了一阵掌声。

主持人宣布："现在拍卖开始：第一号物品——手表一只。"

大汉用杆将手表高高挑起，向全场出示。

主持人双手扶台侧脸看着这只表说："这是一只半钢的'宝石花'手表，曾在唐元豹手上戴过八年，伴随它的主人经历过风风雨雨，是很多重大历史事件的见证人。一号物品我们的标价是八十元。"

全场默然。

“七十五元。”

仍没人出声。

“七十元。”

……

“二十五元。”

远处一只戴了好几只大戒指的小葱般的女人的手举了起来。

“哐！”主持人及时地敲了下锤子，一指那女人，“二十五元卖你了！”

拿杆的大汉悠了悠杆，一使劲甩出去，手表准确地飞进那女人的怀里。

“现在我们拍卖二号物品。这是一双解放胶鞋，曾在唐元豹脚上穿了八年，伴随它的主人走过坎坷人生……二号物品我们标价是三块二毛钱。”

“他有没有脚气——这双鞋的主人？”一个顾客大声问，“有脚气就不值这么多。”

“没有。”主持人客气地回答，“据我所知，唐元豹除了有点汗脚并无其他明显瑕疵。”

“两块五。”刚才发问的顾客开价。

“两块五卖你了。”

随着一声锤响。那双胶鞋掠过拍卖场，飞进那人怀里。

“现在我们拍卖三号物品。这是一条军用裤衩，它的主人既无梅毒又无艾滋。没长过疮没长过癣没尿过炕没跑过马除了有点黄可谓一尘不染，屁股后这两个洞那是为了从另一个角度穿过两条腿而别具匠心巧妙设计的穿脱自如八面来风虱子站不稳跳蚤停不住空前绝后……三号物品我们标价一元七角。”

……

“现在我们拍卖十五号物品，这是一封由唐元豹亲手写成的检讨书，内容是他如何在课间欺负小同学……我们标价九毛九分钱……”

刘顺明扛着一口袋面引着赵航宇等一干穿军大衣的人掀帘子钻进一间窝棚。

“老太太，领导来看你来了。”刘顺明撂下面口袋，对坐在铺上正和其他几个老太太打扑克的元豹妈说。

赵航宇忙上前握住元豹妈的手：“快别起来，我就是来给您拜个年。”

“难为您惦记着，百忙之中还跑一趟。其实不来也罢了，我看见您比您看见我还不踏实。”

赵航宇环视着简陋的窝棚，鼻子发酸地说：“都这么多年了，群众生活还这么苦。”

“也就今年遭了灾，往年没这么苦。”

一群人围坐在窝棚里包饺子。赵航宇捏起一个精巧的饺子，问元豹妈：

“你老还缺什么？过冬的衣裳有吧？”

“好歹是抢出来了几件，眼下还冻不着。”

“要有信心，尽快投入到重建家园的工作中去，自己动手，丰衣足食。”

“没敢指望别人……”

“我会常来看您老人家的。”

“您还是把我忘了吧。”

“怎么说话呢！”

“不不，不要冲动。”赵航宇制止住正要发作的刘顺明，“群众有怨言是可以理解的，是我们的工作没做好。”

“斗胆问一句，政府知不知道你们干的这些个事？”

“老太太，你以为我们是什么人？”

“你胖胖大大的我倒不好说。他，这位刘司令，我可怎么看怎么像威虎山的。”

唐老头儿怒目圆睁、前腿弓后腿蹬，双手握刀高举头顶作奋力劈杀状的大型泥塑迎门矗立在博物馆的大厅里。他的身后还有一组人物，有的低着脖颈粗大的头，双手攥拳戴着铁链；有的双手捧酒碗，仰天长啸。在他们脚下挣扎一群连滚带爬的洋兵、清官。

“在那万恶的旧社会，穷人头上三把刀……”

元凤站在展厅的图片前，手拿木杆，面对着一群戴着红领巾的小孩有板有眼地说着。

“以山东为例，冠县梨园屯三百六十多户中，占一百亩以上土地的地主只有二十八户。以北京为例，仅西单牌楼以南，宣武门内外地区，每月向西什库教堂缴房租的就有一百多家。当时流传的民谣说：‘洋人进中国，二毛直起腰，仗洋势，奉洋教，又没羞，又没臊，趁早把大画也改掉。’”

赵航宇领着刘顺明、孙国仁等人站在小孩后面，阴郁地盯着元凤。

“瞧人家，搞得多专业。”

“哪里有压迫，哪里就有反抗。”元凤把木杆啪地打在图片板上，“下面请看第一部分：震惊世界的春雷！一八九九年，山东省西部的义和团在平原县举行武装暴动……”

元凤一边讲解着一边把杆指向一幅幅图片和玻璃柜里的一件件实物。

“这是义和团壮士练武歇息时喝水的茶壶……这是义和团壮士练武歇息时坐过的板凳……这是义和团大师兄唐国涛在全国解放后安居乐业的照片……”

孩子们瞪着一双双亮晶晶的无知的眼睛随着杆的移动上下瞅着，用心地在小本上记下元凤说的每一句话。

“这是当年义和团头领议事用的大八仙桌……这是当年廊坊大战时红灯照为杀敌勇士烙饼时用过的铁锅，上面还留着被帝国主义炮火熏黑的痕迹……”

“他妈的唐家那点破烂全让他们摆这儿了。”

“这是义和团壮士穿过的小褂儿……这是义和团壮士喝过的酒瓶……这张照片是被帝国主义拆毁的义和团壮士唐国涛家的废墟。下面请看第三部分，帝国主义和封建皇帝的骄奢淫逸。这是当年帝国主义传教士穿过的黑袍和用来麻醉中国人民的圣经……这是当年封建皇帝吃便饭时用过的象牙筷子和金边细瓷碗……”

“好好学学，好好学学。”赵航宇指着五花八门的展品赞叹道，“这才叫搞艺术呢，放得开，收得拢，充满想象力。”

“下面请看第四部分，星星之火，可以燎原。中国人民是杀不完，吓不倒的。二十多年后，在南昌，又响起了震惊世界的枪声……这是当年红军用过的汉阳造……”

赵航宇等人离开那群孩子，放眼看了看后面各个革命历史时期和社会主义建设成果的无数展厅，知趣地掉头回返。

一队队少年儿童在老师的带领下严肃地在各展厅川流不息。

“这一个个活泼可爱的都是钱啊。”赵航宇背手，伸着下巴点着那些孩子感慨，“这几天本市的冰棍销量怕是要剧减。”

随从们默默无语。

“我们这次拍卖搞了多少钱？”

“百十块……”孙国仁惭愧万分。

“不是我批评你们，挣钱真是门学问。我们是有优势的，扣着个大活人。可你们都干些什么？净搞些下三烂的名堂！”

“当当当——”随着一阵锣响，一个穿长衣的小猴打着锣，脖子上拴着绳满场转圈。

主持人站在场中间，冲袖着手围成一圈看热闹的人一抱拳：“有钱的帮个钱场，没钱的帮个人场，这位说了，您今个要给我们看些什么呀？我说了，给您看八路军打鬼子霹雳舞您也不稀罕，反正这么说吧，我给您看的都是您没见过的。”

“噢——”围观的人起哄。

“嗳，对了。”主持人面不改色心不跳，“这位说了，别吹牛了，我们爷们儿什么没见过呀，火上房贼跳墙劫飞机抢银行什么四大悬四大胆四大恶心四大嫩——您数吧！我说了，且慢，老话怎么讲？见人只带三分笑，未可全抛一片心。这天外有天山外有山大千世界无奇不有茫茫宇宙漫无边际航天飞机怎么样试管婴儿怎么样这生命奥妙无穷啊——咱还是且慢夸口吧，人类探索自然的努力是没有止境的！”

围观者稀稀落落地鼓掌。

“谢谢。”主持人得意地一甩头发，换口气说，“这位说了，你云山雾罩唾沫星子四溅胡侃乱吹，不就是想从我们哥们儿兜里掏钱吗？这一套我们懂，打小就天天过这关，早玩剩下了。我说你错了，你们还真是有福，开天辟地头一回碰见了一个只爱真理不爱钱的人——难怪你们不信，连我也不信，是真是假咱们千秋功罪任人评说！我要管你们要钱我是王八蛋！图的就是一个风云际会！图的就是一个痛快！谁让咱们有缘呢？”

“哎，我说你到底要给我们看什么呀？要演讲上海德公园。”围观者一个人嚷。

“这位说了，你怎么光说不练，都半拉小时了怎么还没动静？我说了，说归说，练归练，光说不练假把势。现在我说完了，咱们这就开练，没别的。就一个要求，您要看着高兴，到点给来个好。”

“看什么看什么？都躲开一边去。”

大棚后边，元豹裹着军大衣站在一群五条腿的羊、三条腿的鸡，头上长角的猪和脖子上两个头的蛇中间，让白度给他画眉毛。

一群小孩正围着看。

“你怎么能这么对待群众？”白度批评元豹，“别忘了是谁哺育的我们，没有群众你就是个零。”

“快开始吧。”主持人从前台飞奔而来，“再不开始观众就砸场子了。”

“开始开始，”白度张罗着，“各部门注意，灯光、音乐——拉幕。”

在《妹妹你大胆地往前走》的乐曲声中，一只五条腿的羊拉着一辆坐着个贼头贼脑的近视眼的猴子屁颠屁颠地跑出来。

接着，头上长角的猪哼哧哼哧蹒跚地踱出来。

三条腿的鸡奓棱着翅膀飞出来，落在台中央，昂首挺胸地走。

主持人拿着话筒站在一边眉飞色舞地嚷：

“不看不知道，一看吓一跳。”

一头穿工装裤、脖子扎了条白手巾的熊推着辆手推车叉着腿走出来，车上堆着砖头。

一头梳着分头的猩猩戴着眼镜看着书走出来，边看边嗑瓜子。

“亲爱的朋友们，”主持人充满激情地说，“如果这一切仍不能使你惊奇，那么请看最后一个出场表演的物种……”

音乐戛止，随即响起一阵急促的鼓声，元豹披着大衣健步登台，丁字步站稳，甩掉大衣，露出裸露的四肢，一个亮相。

音乐轰然又起，所有动物又奔走起来，元豹含笑走到台前。

“现在走到你们面前的这个动物就是人。”主持人自豪地介绍，“货真价实的人，大家可以摸摸、捏捏他，看是不是真的。俗话说，三条腿的蛤蟆好找，两条腿的人难寻。关于人的传说在我国已经流传两千年了，光听说，没见过，这回终于可以一饱眼福了。”

一些人涌到台前伸手在元豹身上东摸一把西抓一把，好奇地议论着：

“就是不一样吗，你瞧这皮子的质地。”

“你瞧你瞧，他还喘气呢。”

人们笑着、说着，观赏着，满足地掏出钱扔进元豹脚下的一顶帽子里。

音乐更加欢快，所有动物都走到台前站成一排，有手的都拿着一顶帽子，冲观众摇晃。人们对其他动物几乎不屑一顾，纷纷只把钱扔给元豹。

“今儿还不错，看见回人，有收获。”

“也不知这人能不能养得长些，头些日子动物园新来只企鹅，没几天生就给热死了。”

人们兴奋地议论着，四散而去。

赵航宇的汽车经过马戏大棚，只见在“人体展览”的大幅广告牌下排着很长的队，无数的人站在那里耐心等退票。

“他们这是在干什么？”赵航宇问旁边的孙国仁。

“等着看人体展览。”孙国仁小心翼翼地回答。

“庸俗，纯粹是利用群众的猎奇心理。我就不信世间有什么‘人’，挂羊头卖狗肉，一定又是只患斑秃症的猩猩。”

“他们展出的是我们的唐元豹。”

赵航宇一愣。

“怎么可以这么欺骗群众，假冒商标是要犯法的。”

第十章

“看来，有必要总结一下前一段的工作了。”

舞台上，仍是那张大圆桌，主持人、白度、孙国仁、刘顺明等低着头坐在桌边。

赵航宇背着手在台上踱着步子，一束追光跟着他移动，使他始终沐浴着光明。

“成绩是有的，问题也不少。我们有些同志政策水平不高，对组织上的要求理解也不够，一提百花齐放，就放手不管了，封建迷信、低级下流的东西都出来了。”

“这不是您说的：怪一点没关系，只要对他有补益。”白度挺起腰说，“我认为我们基本上是遵循这个原则去办的。反动黄色的东西不搞，其他的都不去限制它，让群众自己去检验，相信群众明辨美丑的能力。”

“我听说，你曾带唐元豹去参加过一个什么集会。精神病院都告到我这里来了，问我们究竟是支持谁？同情谁？为什么和托派搞到一起去？人家问得很有道理嘛。人家还要我写一个书面保证，我也只好写啦。我再三给同志们讲。我们是民间组织，只负责办好自己的事情，不要去插手那些不该我们管，我们也管不了的事情。

“我带元豹去那并没表态，事先我也不知道这是些托派分子、‘四人帮’余党。我只是想让元豹感受一下人们坚持自己政治观点的狂热劲儿和执著劲儿。我也没有更多的选择余地。我联系了很多地方，谈的都是访美见闻，只有这家精神病院，还有几个谈的是德国的事。发现苗头不对已经晚了，但我们也没含糊，特别是元豹，这点我很佩服他，当场就和他们作了面对面的斗争。”

“好啦好啦，我们不是要追究谁的责任。事情过去就算了，只是领导上要给你们作个提醒。有些问题是要警惕的，弄不好要犯大错误栽大跟头。不要等事情发生了又怪领导没打招呼。我们今天的大好局面来之不易，一定要珍惜、维护。不要因为一句话一个人毁掉了。没意思，不如此显不出你个性来吗？不要总作出显得比谁都解放都敢骂的样子，你无非也就是摸准了现在不会有人打你屁股。骂人谁不会骂？我看叫你来干你也抓瞎。国民党时代我骂得比你还凶——那里骂人还有要杀头的咧。当然作者是有才华的，还是应该保护……”

赵航宇走回圆桌旁，戴上眼镜用嘴舔着手翻看讲话提纲。

“我这话有点扯远了——下面我宣布‘全总’主任团决定：鉴于前一段培训唐元豹工作出现了很大混乱，‘全总’主任团认为有必要改组唐元豹工作小组的领导班子，解除白度同志的承包人身份，另行安排更恰当的人选。另外，刘顺明同志的身份已经暴露，已引起群众怀疑，因此，‘全总’主任团建议免去刘顺明同志坛子胡同保安司令的职务，另行安排工作。”

赵航宇直起腰，拿起一张文件，大声念道，“‘全总’主任团决定！”

围坐在桌旁的人刷地起立，全体立正。

“由刘顺明同志接替主持唐元豹培训工作。由孙国仁同志接任坛子胡同保安司令。白度同志调总部参议室任公使衔调研员，月薪三百大洋。望各位同志精诚合作，不负重托，钦此。”

赵航宇放下命令书，摘下眼镜脸上露出笑容：

“各位对这样安排还算满意吧？”

“满意满意。”

除了白度沉着脸，刘顺明和孙国仁都满脸笑容。

“小刘啊，还有项决定要通知你。你思想上要有准备，组织上决定，为了在坛子胡同挽回影响，重新在坛子胡同竖立起组织的威望，在宣布撤你职的时候要搞一次公开逮捕。”

“现在，我宣布，把冒充国家工作人员招摇撞骗、欺压百姓的刘顺明抓起来！”

在坛子胡同“宽严大会”会场上，孙国仁大声喝令。

在主席台前排就座的刘顺明被两个保安队员揪出来，摘掉帽子，撕去领花、肩章，三下五除二地解除武装，脱掉官衣，架着胳膊拖下去。

“刘顺明是湖南乡下一个农民的儿子。一贯游手好闲，不务正业。去年二月离村外出，到处流窜作案，冒充三五九旅老战士。早在井冈山时期他就怀疑、动摇，提出‘红旗到底能打多久？’这样的人怎么能留在领导岗位上？”

赵航宇戴着单放机耳机声色俱厉地对坛子胡同的居民们演说。

“没有天哪有地，没有你哪有我？封建时代还讲究当官要为民做主……窗外树叶响，疑是民间疾苦声……哪个不办人事我就砸哪个的饭碗……你孝敬父母任劳任怨我……搭起那红绣楼抛撒着红绣球……球，球，拍皮球……正打中我的头哇……”

“哈——”老百姓哄笑起来。

“再来段《小寡妇上坟》。”

赵航宇光看见大家笑，没听见喊的话，越发得意起来。

“其实你们要跟我多接触就会发现我这人其实不可怕，很和蔼很懂事的。我很愿意和你们交朋友。我告诉你们我的电话号码，以后你们谁有事都可以直接找我，房漏了厕所堵了双职工上班小孩没地儿吃饭了，聊什么都可以。每周四是我的接待日，请打电话一一四观众信箱大家谈……”

“嘘——！”有人把两指插进嘴里吹出尖刺的唿哨。

“下去吧，臭大粪！”

“别这儿现了！”

“你到我身边带着微笑，带来了我的烦恼……”

赵航宇冲群众媚笑着，一扭一扭地走起秧歌步。

“警车呜哇呜哇地响，我脚似千斤重，双眼望娘泪汪汪，我如今后悔莫及……”

“拿钳子扳扳，都走调嘞——”

“谢谢，谢谢。”赵航宇向群众送着飞吻，手拿麦克风，拖着电线，低着头在台上若有所思地慢慢走着。

“整天泡在舞场上，无聊地在大街逛……”

“什么东西！”

赵航宇哀怨地望天：“小时候看电影，就知道监牢是关革命者的地方……”

“现在腾出来给你了！”

“谢谢，你们才是真正的英雄。”赵航宇动情地向群众伸出一只手。走下台，抓住前排坐着的不幸者的手使劲握，又走上台，继续唱：

“春天在哪里？春天在哪里……”

“就没人管管他吗？”愤怒的群众质问坐在主席台上、脸红红的、眼睛不知往哪儿看好的孙国仁们。

“我——”赵航宇手捧着心，严肃地对观众说，“——爱你们！”随即热泪盈眶。

孙国仁为难地、硬着头皮走到赵航宇跟前，比比画画地跟他解释。

群众这时已经在黑子的带领下，整齐、有节奏地起着哄。

“给他一大哄——”

“——啊哄！啊哄！”

“给他一尿盆啊——”

“回家洗裤衩啊！”

赵航宇死活不明白孙国仁要跟他说什么，最后，孙国仁只得不顾他的阻挡躲闪，强行摘下堵住他耳朵的耳机。

赵航宇这才如梦方醒，听到了群众在喊什么。

“下去下去下去！下去下去下去！”群众双手攥拳挥舞着，整齐有力地喊。

“他们怎么能这样对待我？”赵航宇委屈地问孙国仁，问群众，“你们怎么能这样对待我？”

前排的群众冲他做着各种鬼脸。

“撒泡尿照照自个儿！”

“摸摸自个鸡巴长毛儿了吗！”

赵航宇脸色苍白，破口大骂：“别他妈给脸不要脸！”

群众轻蔑地嘘他，继续喊：“下去！没人要看你！”

孙国仁忠恳地劝赵航宇：“您老还是下去吧，君子报仇，十年不晚。”

赵航宇抱着麦克风任孙国仁怎么拉扯死也不撒手。

“就不下去！我这人吃软不吃硬，要下也得我自个儿说，他们这么哄我我偏不下了。”

他冲台下群众使劲嚷：“就不下就不下！”

汽车里，赵航宇气得手直哆嗦地对孙国仁说：

“坛子胡同居民思想很混乱，有些思想倾向很危险，对我们的敌意是十分明显的。要查一查这里有没有坏人、敌特，该杀就杀，该捕就捕！对一般群众也要加强教育，提高认识，不能让这种危险倾向破坏我们整个工作。”

“他们这么对待赵老真是太过分了。”已经换了便装的刘顺明说，“有意见可以提嘛。我的工作失误我个人承担，赔礼道歉请罪退赔都可以，怎么可以把矛头指向赵老？他们这么干我们很难认为是善意的。”

“指向我个人倒无所谓，我敢于干这个工作就是不怕骂的，生死荣辱已经置之度外。问题是我们的群众盲目幼稚得很。他们以为骂倒我一个人就天下太平了，如果真是这样，我倒乐意杀我的头以谢国人。”

赵航宇疲惫感伤地笑笑。

“我给大家讲个伊索寓言：一群青蛙群龙无首，于是向上帝请求派个国王。上帝给它们扔下一块木头。它们嫌木头不会说话，不会管事。于是不满足，又集体去找上帝请求换个国王。上帝就给它们派了个新国王，这个国王是一种专吃青蛙的动物——哈哈哈。”

赵航宇自己笑起来。

| 第十一章 |

“现在几点了？”

“你不要问时间，离天亮还早着呢，今天夜里你就不要打算睡了。”

审讯室里，唐老头儿已经困得睁不开眼了。审讯台后面坐着的胖子依然精神抖擞。

“能给我根烟抽吗？”

“不能，你一抽烟我该困了。你就抓紧时间交代你的历史问题吧。”

“事太多，一晚上说不完，不能明天接着说吗？反正我进来就没打算出去，后半辈子都拿出来陪你了。”

“你有时间我还没时间呢。你以为我就光搞你一个人的问题吗？你只有一个晚上的时间澄清你的历史问题。你已经很走运了，有的人哭着喊着要跟我说，我根本就不允许他们说——就给他们定性。”

“那我太感谢了。”

“要珍惜这个说话的机会。现在告诉我攻打紫竹林租界的事件真相。”

“书上怎么说的。”

“书上说，那时你们都奋不顾身，骁勇善战。‘打得帝国主义分子魂飞魄散，妄想寻路逃命，但为时已晚，溜不掉了。’”

“这次书上说得倒对。”

“书自然是对，但我不明白，既然你们那么能干，为什么最后也没打下紫竹林？”

“没打下来吗？”

“没有。书上说，你们不得不杀出了天津，转到天津外围坚持斗争。”

“是同一本书吗？”

“没错。”

“对，没错，这不矛盾，因为帝国主义溜不掉了嘛，书上只说他们溜不掉了，并没说被我们全杀了。溜不掉他们就要打，打到后来只好我们溜掉，我们是想溜就溜。”

“那么，我要知道，拦住帝国主义不让溜的是谁？”

“曹福田，他曾下令非一律扫平不可。”

“当时……当时我带着队伍堵着路口，向想寻路逃命的帝国主义射箭，奋勇冲杀。”

“这就是说，话是曹福田说的，事儿是你干的！”

“我干的！”

“我就猜到是你！交代吧，你为什么有意不让帝国主义溜掉？说你有意不过分吧？”

“我想杀他们。”

“杀他们？你真实动机是想杀谁？”

“话可不能这么说，你总不能说我想杀咱们同胞吧？”

“我不管你想杀谁，我只想看事实。帝国主义有洋枪洋炮你知道吧？”

“知道。”

“义和团将士使的是什么你知道吧？”

“知道，大刀长矛。”

“洋枪洋炮和大刀长矛哪个厉害你知道吧？”

“那当然，大刀长矛和洋枪洋炮当然没法比。”

“既然你都知道，那你的用心也就昭然若揭了。”

“我的用心当然一直明白着，杀洋人！杀得过要杀，杀不过也要杀！癞蛤蟆跳脚背上——咬不咬吓一跳。傻小子睡凉炕——全凭火力壮。拿着纱窗擦屁股给帝国主义露一手。”

“这个问题已经很清楚了，不要丑表功了。下面问第二件事……”

“什么很清楚了，我看你根本没明白。”

“我不想再讨论这个问题，下面开始第一问，据古籍记载，你曾非法抢劫农民牲畜……”

“没有。”

“嘴硬！你难道没有在农忙季节派你的手下把高家庄的全部耕牛拉走？”

“我拉走那些耕牛是为了去租界蹚地雷。”

“我不管你拉走那些耕牛干什么，我只问你，你拉走那些牛给钱了没有？”

“你不能不讲理。”

“哪个不讲理。”

“哪个不讲理？公说公有理，婆说婆有理，我有我的理，你有你的理，现在讲的是我的理。”

“唐元豹，赵主任的手谕你见到了吧？”

“见到了。”

刘顺明穿着身西服双手搭在生殖器上笔直地站在元豹面前，神态冷漠地对他训话。他身后同样笔直地站着他组成的新班子，清一色比他高一头的漂亮姑娘。

“从今天起，你就由我领导，你的一举一动都要由我安排。咱们丑话说在头里，我既然来干这个工作就是不怕骂的，生死荣辱已经置之度外。准备出点乱子，担点风险，你不要想像在白度手里那么快活了。”

刘顺明在屋里来回走动起来，不时用眼去瞟元豹。

“不过我这人讲义气，只要你听话，我绝不会难为你。如果你不听话，也别怪我翻脸不认人。你就是天王老子的心头肉，我也是该割就割，该剁就剁。”

“我一定听话，我何苦不听话，我这人与世无争。”

“好，有你这句话就行。”

刘顺明脸上露出微笑，踮起脚来拍拍元豹肩膀。

“跟着我干，不会让你吃亏的，我这人从来都是爱护干部的，不信你问她们。”

“他一点谎也没扯。”姑娘们异口同声地说，“刘司令一向跟我们不见外。”

“不要叫刘司令了。”刘顺明笑着摆摆手，“既然退下来，就叫老刘吧。”

唐元豹站在穿衣镜前整理着自己新上身的西装，左看右看转身看。

刘顺明穿着睡衣出现在镜子里："怎么样？还合适吧？"

"我太喜欢了。"元豹转过身腼腆地含笑说，"就是太破费了，我心里有点那个。"

刘顺明呵呵笑："为你，我什么都舍得。"

一个女侍端着一盘咖啡壶、奶壶、糖罐走进来。

"快快，咱快回到床上去。"刘顺明拉元豹，"这咖啡得在床上喝。"

"我还没刷牙呢。"元豹说。

"要的就是原汁原味儿，要不然就不对了。"

刘顺明先掀开被子爬到床上，倚着床头坐着。元豹脱掉西服外套，也上了床，和刘顺明并排坐着。

女侍过来服侍他们喝咖啡："要放糖吗？"

"不要。"刘顺明颇为矜持地说，接过杯子微微一点头，"谢谢。"

"我也不要。"元豹接过咖啡，和刘顺明同样风度地一点头，"谢谢。"

两个人一手端盘，一手端杯，沿着杯沿儿转着圈地吸溜着，不露齿地品着，摇晃着杯中的渣子，心满意足地相互微笑。

"味道怎么样？"

"味道好极了。"

"比豆浆如何？"

"一个天上一个地下。"

"看出我路子和别人不一样了吧？"

"看出来了。"

刘顺明把咖啡一饮而尽，嚼着渣子，洋洋得意地咂着嘴说：

"我准备让你全盘西化，师夷长技，制夷其身，先从点滴做起，你要学会文明社会的一切礼俗，当然，如果不是因为你基础太差，我们本该从现在就用英语对话。”

“噢，简单的我还行——好大的油肚。”

“三颗药喂你妈吃。不行不行，我的英语也欠流利，总是不由自主地带出法国口音。”

“我听着已经很好了。咱们下面干吗？亲爱的。”

“和一些杰出人士共进早餐。”

阳光普照的大餐室里，一些衣冠楚楚的男女孩子面对面坐在一张铺着白桌布的长餐桌两边，每人戴着个雪白的围嘴，静悄悄地文雅地一手拿刀一手拿叉把各人眼前盘里的一只煎鸡蛋切成小块从容不迫地吃。席间只听得轻微的刀叉磕碰声和不绝于耳的“谢谢”、“对不起”、“别客气”。

坐在餐桌顶端的是一个更微型的绅士，也就有五六岁，但派头、风度是这一桌最佳的。他眉头皱着，颇不耐烦地扔掉刀叉，扯下餐巾，对那只剩下一半的鸡蛋发表评论：

“煎得太老了，营养都跑掉了。”

“要不要叫人给您换一只。”刘顺明谦恭地问。

“不必了，我谅他们再换一百只也都是这个味道，将就吧，我对他们也不过高要求。”

“搞一点小菜吃一吃？”元豹热情地问。

小绅士白了一眼元豹，未予置理。刘顺明狠狠瞪了元豹一眼，元豹惭愧地低下头。

“我最近去了趟美国。”小绅士开口对其他孩子说道，“跑了几个地方，主要是南部各州。本来还想多跑几个地方，因为时间紧，还要赶着回来开会，就算了。在美国我和美国文联主席谈了谈，也见到米基、米莉他们。他们还托我向各位问好。谈到文学，他们表示，美国的作家也有很多困惑，很多人正在转向通俗文学，一些严肃的作家已经很多年没有写东西了。他们很羡慕我们，认为我们的作家是世界上最享福的作家，每月有工资。认为中国了不起，这么穷还养着这么多作家，这在美国是不可想象的。他们很关注中国的文学，认为文学的希望在中国。”

“瞧瞧，瞧瞧，美国人都这么说了，我们还有理由自卑？”

“咱们真得好好干了，要不对得起谁？”

刘顺明和元豹相对赞叹，又一起拧过脸，目不转睛地崇拜地望着小绅士。

“接着说，接着说。”

“我给你们说，中国文学要走向世界还有很长距离。”小绅士拿起一支牙签慢条斯理地剔着牙，“我们的青年作家大都功力不行。像我们那个时候，随便提拎出一个作家都会讲几句洋话，有的教过女中有的吃过洋饭，念过私塾那是很普遍的。你说国学你说西学，哪个不是两头都来，上下均很平坦。现在的年轻人啊就差这一手，似乎很热闹很新潮，现代派啦寻根啦，不客气地说，你那现代派都是我们玩剩下的。我们年轻的时候比你们玩得邪乎，当然啦，那时社会提供的条件也比现在好，烟馆啦窑子啦赌场啦应有尽有，美国怎么样？黑暗吧？比咱们旧中国差远了，要说吃喝嫖赌抽，咱们中国人那是世界始作俑者集大成者。我看过那些如今津津乐道谈虎色变的黄色录像，没有什么新招儿嘛，很明显是抄我们的《金瓶梅》。我说这些的意思，就是，不要唬人，我们都是过来人啦，要说纨绔气恶习流氓叛逆什么的我们比你们基本功扎实，你们现在的年轻人咋咋呼呼目空一切一副谁都瞧不起的样子其中有几个是经得起推敲的贵族？我们那一代可净是大地主的儿子，顶不济也捐过前清的粮台、漕运帮办。你们说比什么吧？比多余？比空虚？比吃饱了没事干？‘多余的人’这顶帽子应该给我们戴上才对。”

“那是那是，这些年轻人也太不懂谦让了。”

“不管配不配，什么帽子都抢着自个儿戴，让老同志头光着，你活也得让别人活嘛。”

“都以为帽子多是好事呢。”

“这样不行，这条路救不了中国。”小绅士语重心长地说，“当年我们也不是一出家门就走上了社会主义大道，我们也经过长时间的犹豫、观望和徘徊，立宪啦改良啦共和啦，都试过，走不通嘛。不要以为资本主义制度是社会进步的灵丹妙药，你就是把北京承包给里根，我看他也玩不转，能干的也无非是添几个垃圾桶修几座立交桥。”

“这话我信，中国人别看模样儿老实，心里有主意。多少朝多少代，唐宗宋祖也没能把他们治忠厚了。”

“掏心窝子说，共产党也不易，换了别的党，还没这两下子呢。”

“我拥护共产党，没的说。”

“先生们先生们，大家都吃完了吗？”刘顺明看餐桌上大家都各自开起小会，就站起来拍着手说，“吃完就请大家到客厅去，客厅里有酒，有小姐弹奏钢琴，请大家到那里继续谈。再有，我在这里还要说一句，咱们把大家请来，主要是想听听大家谈文学，不要离题太远。当然大家刚才谈得都很好，但咱们时间不多，希望大家抓紧。其他的，如果大家想谈可以会后单独谈或者咱们再开个会专门谈。”

“我要威士忌——加冰。”小绅士叼着根大雪茄，一手插在西服坎肩斜兜里，一手从侍者的托盘上端了一杯酒，内行地品着。

小绅士小淑女们都端着酒仨仨俩俩地站在一起含笑交谈。

一些人围在一台大三角钢琴旁，倾听一位小姐的演奏，悦耳的钢琴声水一样地在房间里流动。

“你今年多大啦？”刘顺明为小绅士和唐元豹单独介绍后，小绅士伸出一只手让元豹握了握，和气地问。

“二十七。”元豹谦恭地说。

“很年轻嘛，不错不错，这么年轻就这么有作为，已经混到我们这里来了。”

“不行，您混的时间比我长。”

“老喽，”小绅士指指自己的头，“这里跟不上喽，跟你们比起来落后于时代喽。人老了讲起话来就不那么中听了。”

“哪里哪里，您刚才饭桌说的那番话，我听着特受触动，您没发现我眼儿都直了吗？出来的路上我一直思忖，挺一般的话到您嘴里怎么就那么好听，全变了味儿了，这本事我得学。”

“这你就不知道了，马老原来是八哥协会的主席，那鸟都能让它说出人话来，就甭说马老自个儿了。”

“怪不得，我就猜到了。那吃五谷杂粮的想学也学不出这么好的口活儿。”

“你们也不要给我灌米汤了。我虽上点年纪,可脑子并不糊涂，好话歹话还是听得出的。我不怕你们说我思想僵化，我还是要到处去说，逢人就说，我不反对你们学美国，但要学到点儿上。美国那个社会也是讲道德观的，他们的文艺作品也不是一味地反传统反主流文化。你比如好莱坞的影片，说教比我们还厉害，但有一条，说得高明，叫你不反感。我们学就应该学人家这点，不知不觉就让你受了教育。反当局反传统就一定是创新是进步？我不这样认为。恐怕更难的更考验一个作家的才华和创新能力的倒是如何不令人反感地为当局为传统唱赞歌。”

钢琴声止，小绅士小淑女们纷纷鼓起掌，刘顺明、唐元豹和这位小绅士也停止交谈，彬彬有礼地向演奏的小姐鼓掌。

两个男孩自告奋勇上去替下演奏小姐，挤坐在一张钢琴上开始四手联弹《打虎上山》。

“眼睛都盯着美国，月亮都是美国的圆，其实有几个了解美国的？美国有嬉皮士我们也搞嬉皮士？那又不是原子弹人家有我们也要有，搞得不伦不类。”

一群男孩子叫刘顺明。刘顺明离开：“失陪了。”

唐元豹刚要扭头看，被小绅士伸手牵到一边，继续背对着全体来宾窃窃私语：

“这次我去美国，碰到一些事情很令我感慨。人家的坏人抢银行都规规矩矩排队，轮到他再动手，绝不加塞儿，这才叫文明哪，我们‘文化大革命’破坏得最彻底的就是这些，好人都不排队了，和人家怎么比？还有这个人种问题，人家美国不是五族共和啦，那是全世界各种族走到一起来心往一处想劲往一处使集体大杂交。没法比，我们中国和人家没法比。这两条不解决，赶上世界先进水平那就是句空话。”

“你老跟他说什么呀？”那群男孩一个个手插在西服背心里，端着酒，不屑地瞅着远处那位喋喋不休的小绅士，对刘顺明，“他不会别的，到哪儿都是他的美国梦寻，我怀疑他已经改换门庭，入了美国共产党。”

“把你们那哥们儿也叫过来，甭理他，让他一个人对着墙说去，他那毛病都是你们惯出来的。”

“那好吗？”刘顺明为难地说，“刚讲过要积阴德。”

“你不好意思，我们叫。”

男孩子们招呼元豹，元豹转过身，男孩们冲他打手势，元豹向小绅士致歉，走了过来。

“累不累？累不累？”

男孩子撇着嘴问元豹：“发场革命人道主义也得分场合。”

“是是，我心里那个焦急哟，就盼着你们叫我呢。”

“这是我的最新作品，”刘顺明拍着元豹对男孩们说，“提提意见，哪儿咸了哪儿淡了？”

“脸有点愤怒青年。”

“不对，倒不如说是垮掉的一代。”

“腿长得有点结构现实主义。”

“衣裳穿得挺后现代的。”

男孩们莫衷一是，各执一词。

“这孩子有点像李承晚，不过没那么漂亮。”

“仔细看还是像阿里斯顿，只不过阿里斯顿是对眼，这孩子一个眼儿东一个眼儿西。”

“肤浅、做作、油滑。”有的男孩批评元豹，“比我们孩子差远了。”

有的男孩护着元豹，同批评者激烈争吵：“噢，你们家孩子是人，我们家孩子就是王八蛋？”

“不要吵不要吵。”刘顺明拍手嚷嚷，“我们下面做个游戏好不好？这游戏的规则很简单，每人针对元豹说一句话，但不许说别人说过的话，只许用自己的话说。”

男孩们静了下来，片刻，一个个开口。

“愤怒青年。”

“垮掉一代。”

“结构……结构……结构现实主义。”

“后现代主义。”

小绅士寂寞地站在空无一人的书房窗前，逗挂在窗上笼子里的八哥。

“八哥八哥，叫 × 主席。”

| 第十二章 |

巨大的书库，一望无尽、重重叠叠充斥着空间每个角落的书。

刘顺明手牵着元豹像导盲犬领着它的主人蹑手蹑脚地走进来，在书架间穿行着，仰起脸转着圈儿地望着四周顶天立地的书。

元豹眼里充满敬畏和迷惘。

“这景色是不是像天堂的景色？”

“可我从没去过天堂。”

“那你现在就算到天堂了。”刘顺明庄严地说，“天堂也就这样了。”

“是吗？怪不得有人宁肯下地狱。”元豹同样庄严地问刘顺明，“我该激动对吗？”

“噎死，你应该激动得不能自持，同时应该升华。想想吧，你是和谁在一起。”

“升华的感觉是不是和头晕的感觉差不多？”

“差不多，姊妹花。”

“那我升华了。”

“在这儿你可以成为你希望的人。书可以给你一切，书中自有黄金屋，书中自有颜如玉。”

“这么管用？”

“管用，你以为那些牛逼蛋侃的主儿是他们自个儿的本事吗？说吧，你希望成为什么人？”

“文化人。”元豹羞涩地看了眼刘顺明，“我这个要求是不是过高了？我没别的想法，我就是特羡慕……”

“不用难为情。”刘顺明含笑说，“我还没见过不想当文化人的呢。文化人多好啊，到哪儿都给别人讲课，自己也过着特高级特丰富的精神生活。”

“就是，也不用去跟外国人打架，光斗嘴。”

“永远身兼着良心和旗手二职——你可真会挑人儿。”刘顺明笑瞅着元豹，“好吧，就依你。”

“那我现在就是文化人了？”元豹兴奋地说，“我现在就想去讲课。”

“你以为说判就判？”刘顺明沉吟着，“当文化人也得先扒几层皮。打听打听，哪个文化人没有几部血泪史。阿崎婆算什么？差远了。”

“我能吃苦，我不嫌寒碜。”

“那好吧，咱们先练第一手——牛逼——向全国人民公开你和书的关系。”

刘顺明话音刚落，四角的大灯突然亮了，貌似高大沉重的书架轻巧地一扇扇启开——都是彩绘得十分逼真的景片。一架摄像机犹如一门炮似的冲着元豹推过来，无数穿风衣戴眼镜的男女手拿分镜头剧本大步走过来，无数穿风衣戴眼镜的男女手拿家伙从四面八方的书架后面闪出来。清理场地、测光、布灯，有条不紊地忙起来。

“这是导演，”刘顺明对唐元豹说，“你的临时主人。今天你听她使唤，你能否如愿当上文化人可就全依她了。”

刘顺明转身离去。元豹冲着导演和风衣们点头哈腰，风衣们各忙各的谁也不正眼瞧他。元豹特自卑。

刘顺明出了摄影棚，刚点上一支烟，一些男女就急急忙忙地围上来。

“我是牙膏厂的，我们想请唐元豹为我们厂的产品做广告。”

“我是酒厂的……”

“我是生产擦脸油的……”

“都甭废话！”刘顺明挥手制止住一片乱吵吵，“一个广告十万，有钱拿来，没钱玩勺子去。”

“能不能便宜点？”

“三万,三万怎么样？”

一群人跟着刘顺明七嘴八舌而去。

“我用先给你讲讲吗？”女导演问元豹。

“不必，不就是要让全国人民爱上这些个书吗？”

“对头，你真是个好演员坯子，就是这意思，告诉全国人民他们不买这些书犯了大错误。要造出这种气势，谁闲着也不能让书闲着，书堆在书店里卖不出去那是全民族的罪过。”

“明白，把书也弄进紧俏商品行列中去。”

“咱们先走一遍。”女导演转身走开，从旁边抱起一本厚厚精装的道具书，扔给元豹，“你先活动开了。”

元豹双手接书，没料到此书是如此沉重，一入怀，差点没压跪下。

“这么沉——透着学问。”

元豹把书竖在地上，像在他们家耍石墩似的拉开架势，脱光膀子。

“别脱！”女导演打量着元豹，“你这衣裳还真跟这书不配套，你脱了吧。来来，你们谁的风衣脱下一件给他披上。”

一个男人脱下风衣递给元豹，这男人里面还穿着一件风衣。

“等等，”女导演说，“再给他找副眼镜戴上。我见不得他的眼神儿，一副粗蛮无知的样子。”

女导演从身边一个人脸上摘下副眼镜，那人脸上还戴副眼镜。

女导演把眼镜架在元豹鼻梁上，端详着：“这样好点，这样朦胧点。”

元豹戴上眼镜一迈步，一脚踩空。

“怎么回事？这是近视镜？”女导演发现不对，扭头问，“你们谁有平光镜献出来。”

“都是近视。”众人回答。

“怎么都是近视？”女导演叹口气，摘下自己的镜子，“戴我的吧，我的是平光。”

元豹戴好眼镜，穿妥风衣，双手举起书。

“看这儿，眼睛往这儿看。不行不行，感觉不对。”女导演不满意地走上去，“你举的是什么？”

“书啊。”

“不对了嘛，怎么是书？是火炬，是引导人类前进方向的火炬，是普罗米修斯偷来的那把火，是给我们温暖使我们快乐的太阳，光芒四射的太阳——不是书，记住！再来。”

元豹又举起书，女导演又举起手，声情并茂地示范：

“晃，晃，轻轻地晃，左右摇摆地晃，啊，你在照亮黑暗混沌的世界，你在呼唤着人们奔向光明，在阳光下雀跃、欢笑。左蹄右蹄，左蹄右蹄……停！”

女导演叫停，仍旧不满，“感觉还是不对，还是贱了点。你没看过这本书吧？”

“没有。”

“噢，对了，谁也没看过这本书，这本书是砖头改装的。”

女导演手握着下巴，哈着腰，皱着眉头走了几个来回。

“这样吧，你就只当是看过这本书。这本书就是你写的，就当圣经第二性的合订本。”

“懂了。”元豹再次举起书。

女导演拍着手喊：“晃起来，晃起来，既含蓄又奔放，既热情又谦逊，既庄严又欢欣。像上帝俯瞰众生，要传递出这样一个信息：我不是要卖这书，我是来救你们。”

女导演一边指挥元豹晃着，一边对摄影说：“挂板，实拍。”

“晃，晃，晃……”女导演跟着元豹一起晃，“咔咔”捏着快门。

“哧”地一股白烟，摄影手里的镁光灯闪了一下。

“停！”女导演停住，擦了把汗说，“这条过了。”

元豹放下书，走过来对导演说：“导演，我刚才走神了，不是把自己当上帝而是把自己当小朋友了。”

“看不出来。”女导演说，“反正谁也不知道上帝该是什么样。”

“别别，这是挺大一事，别留遗憾，我请求再来一条。”

“你就别那么多事了，喜欢照相下来给你单拍。”摄影不屑地，“跟真的似的。”

“什么叫跟真的似的，本来就是真的。”元豹争辩，“对不对导演？进入角色就得忘掉自己，表演嘛。”

“对对，你说得很对。”女导演安抚元豹，“要当个好演员得有这股狠劲儿。不过这会儿就别较这个真儿了，你已经演得很好了，咱们的戏多，抓紧演下一个。”

“甭管演什么，我都能演得叫你们挑不出毛病。”元豹得意地走回表演区。

女导演也重新站好位置，指点元豹：

“把书横抱，放在腋下，腋下是哪儿知道吗？对了，就是胳肢窝。不拿书的那只手举起挥动，眼往后看。好！现在，你胳肢窝底下挟的是什么？”

“炸药包。”元豹像董存瑞一样作奋不顾身状。

“你真是机灵鬼儿。”女导演夸奖道，“对，你怀里抱的是炸药包，你要用它去炸毁愚昧的碉堡，为同志们的胜利扫清道路。现在可以说词了。你跟着我说，没书我不能活！”

“没书我不能活！”元豹抱着炸药包激情地重复。

“双手捧书脸贴上——母亲只生了我的身书的光辉照我心。”

“母亲只生了我的身书的光辉照我心。”

“我还缺什么呢？噢，缺我中意的书。”

“我还缺什么呢？噢，缺我中意的书。”

“瞧你们那没文化的样子”——一手抱书一手指镜头。

“瞧你们那没文化的样子！”

“怎么样？”女导演笑吟吟地掉脸问录音，“声音如何？倒回来听听。”

录音把磁带倒回来，扩音放出，棚内回荡着元豹咬牙切齿的声音：

“没书我不能活！”

……

“瞧你们那没文化的样子！”

“有点像自己跟自己过不去是不是？”导演沉默片刻，问众人。

“有点，我还听出点骂街的味道。”

“他这声音不行。”录音双手揣兜里说，“还得另找人配。”

“我觉得还行。”元豹说，“是急了的感觉嘛。”

“那就另找人配。”导演对录音说，“这会儿就让他数数。”

导演对元豹说：“下面你别念词儿了，数数好啦，有多少字就数到多少。场记，下面是什么词儿？”

“书嘛，我只看贵的。七个字。”

“好，你就从一数到七。”导演对元豹说，“实拍了啊，各部门注意。”

“一二三四五六七。”元豹对着镜头说，“导演，我觉得还缺点调度。糟了，我书都没拿——怪不得不逮劲儿。”

“算了，我剪接的时候再弥补吧，接一个书的特写。”导演和元豹握手，“谢谢你，你演得很好。你过去演过戏吗？”

“这么演是头一次。”

“那你可真算得上有表演天赋。”

“我这人好琢磨，从小就特羡慕特崇拜那些演得让你分不出真假来的大明星。决心像他们那样工作像他们那样生活。”

“好好练吧，你会出息的。”

白度家客厅，电视里正放着元豹作书籍广告。元豹时而怒目圆睁时而悲悲切切时而若有所思时而浩然长叹。那群在刘顺明那里碰壁的男女广告商正围着白度苦苦哀求。

“您是他的老领导，您说句话，还是有面子的。”

"元豹是全民族的财富怎么能让一家独占？要么大家都别干，要么大家都有份儿。'全总'筹备时我们也是出了份子的，这会儿发达了，就把穷哥们儿忘了。"

"唉——"白度长叹口气，站起来说，"你们也是想不开。何苦非要找到元豹本人，既然他的录像带已经有了，你们何不再各自拍点素材，找高手重新剪一遍，配上跟你们产品有关的词儿一放，哪个看得出真假？省钱又省力，只怕比真把元豹找来拍得还精彩。你们看不出唐元豹撒欢闹也不过是那几个表情那几个动作，虚掉环境，抹去动效声音，说他发癔症也有人信。"

"我操，我怎么就没想到这根筋！"

"真是，多现成的买卖。"

"你们还是太老实了。"白度看着这帮如梦方醒、兴奋不已的男女说，"你们都太老实了。"

晴朗的天，奔驰的马群，苍翠的山间奔腾着清亮的溪水，溪水中冰镇着几瓶"可乐"。元豹手抱着书作奋不顾身状。一个特写：书扔进溪中。一只手从溪水中举起一瓶"可乐"。元豹面部特写："没有可乐我不能活！"

豪华居室，家具电器一应俱全，唯有房角留有一处空地。元豹抱着书若有所思："我还缺什么呢？"一台电冰箱自天而降，正好落在房角空地上。"噢，我还缺我中意的冰箱。"

元豹抱书手指画外："光读书有什么用？"画面出现装满漂亮的白酒和一群群男女老少痛饮的场面。画外："千杯不醉乃英豪！"

刘顺明从床上掀被跳起，赤条条双手攥拳目瞪口呆地看着电视上一个个广告画面，难以置信地连声叫喊："啊——！啊——！我的天！"

元豹手捧书贴着脸，深情地说："每当我看书看不下去的时候，就想起东方——齐洛瓦！"

女导演从床上掀被跳起，赤条条双手攥拳目瞪口呆地看着电视上一个个广告画面，连声叫喊："啊——！啊——！操他妈！"

琳琅满目的香水、浴液、化妆品。泛着泡沫的清澈海水；娇嫩光洁的皮肤；顾盼生姿的眼睛；镜头推上去众多种类的洁肤用品，只留下一块晶莹滑腻的香皂。

元豹平静地对镜头说："香皂，我只用力士。"

| 第十三章 |

“你辜负了我的信任。”刘顺明眼睛红红的，头上捂着块凉毛巾，坐在床上对毕恭毕敬站在他床前的元豹说，“这下完了，我怎么还有脸去见文艺界的朋友。”

刘顺明忍着将要夺眶而出的泪水，看了眼元豹：

“你也完了，不用再做什么文化人的梦了。他们连我也一块给轰出来了。”

“好汉做事好汉当，怎么能连累老师您呢。”元豹慷慨激昂，愤愤不平。

“有几个像你这么讲理的？文化人们都气炸了，说我管教不严。”

“我找他们说理去。轰出我倒没什么，可文化队伍中不能少了老师您。您是真正的文化人，您要离了文化队伍我都不知道您是什么人了。”

“算啦，不要为我争啦。不管在不在队伍，都要继续用文化人的标准要求自己。你能做到，我也就心安了。”

“是是，我一定，他们可以霸占我这身子，但夺不走我这颗心。”

“要继续苦练，不要松懈。这些天我在病床上又重新考虑了一下你的训练方案，发现你的拳路设计还有些毛病。咱们这拳路是要传给后人的，光实用还不行，还要注意形状，既要实用又要好看，这才是完美的艺术品。经得住时间的考验，乱七八糟的王八拳就是赢了也让人耻笑。”

“对对，那您说怎么改动好？”

“我仔细想过了，体操杂技和京剧武打都被我否决了。都不够彻底，这些姊妹技术充其量也就是稍微丰富下形态和动作，修修补补，还够不上真正革命性的变化。就是说，丰富了这些动作仍然可以看出是拳术不是别的。我觉得意思不大，要改就彻底改头换面，否则不如不改，保持原状。”

“对，老太太一辈子都是处女——抗日到底。”

“不不，你领会错了，我的意思还是要改，而且要天翻地覆地改，脱胎换骨地改。”

“对，老太太一辈子都是处女——何必呢。”

“没有什么可顾忌的嘛。乌龟吃老虎，成了，开天辟地头一遭；不成，王八脖子一缩，照旧当我的龟孙。”

“对，老太太一辈子都是处女——乐意。”

“我决定了，把大梦拳和芭蕾舞嫁接，学就学最先进的。好吃不如饺子，好玩不如雀子，咱们全都是第一流的。”

“对，烟暖房屁暖床，改就比不改强。”

“我决定给你请最好的老师，找一个安静的地方，静下心来好好练。你可一定要替我争这口气，干出个样子给那些文化人瞧瞧，有你们吃豆腐，没你们也不嚼豆。”

“可哪儿有安静地方啊？”

现代艺术馆。满墙挂的都是喷着各种颜料的破衣烂衫，钉着撕成各种形状的硬纸板，无数风景各异人物各异局部各异的照片图片画片呈爆炸状旋涡状喷溅状交错相叠拼贴在一起。

展厅中央放着轮胎、砸烂的桌椅、捣毁的汽车和千疮百孔的窗户框子。展品之间还有一些赤裸、身上脸上涂得五颜六色的男女或站或坐或轻轻地来回走动摆出各种造型脸上一概木无表情。

病容满面的刘顺明领着元豹、芭蕾舞女老师一个瘦削的下巴尖得像刀似的老太太和她手下的那些姑娘走了出来。

艺术馆管理员，一个邋遢的胖老头迎上来声音沙哑地问：

“你们找谁呀？”

“我们就是来包场的。”刘顺明说，“租您这地儿开展点活动。”

“噢，您们就是那几位大善人，把我们这儿的门票全包了。知道了知道了，我有窝头吃还真亏你们。”

“老先生，一会儿请您把门看好，不要让闲人进来围观，影响艺术家工作的气氛。”

“放心，倒找钱也没人敢进这儿。馆里组织力量到街上兜捕三回了，专拣那现代派抓，用铁链子锁上门关着他们看，最后还是都翻窗户跑了。这是全北京最僻静的地方，坏人作案都不上这儿来。”

老头儿蹒跚走开。

芭蕾舞老师严肃地说：“那就抓紧时间开始练吧，我们要干的很多。”

刘顺明走到一个实物抽水马桶边，放下垫圈坐下，东张西望，看一些斑马般的彩色屁股。

元豹、老太太和姑娘们都脱下衣裳裤子挂在展厅墙下那些破衣烂衫旁边，穿着练功衣站成一排。

老太太顺手从后腰抽出一根藤条，在展品中的实物水桶中浸了浸水，在手上啪啪打着，走回来，抽打着元豹和姑娘们的腿。

“站好站好。双腿并拢，上身挺直、收腹、挺挺胸、抬头……”

话到手到，指哪儿打哪儿。

待元豹和姑娘们站成一排棍儿了，老太太又拿出一把铅笔，挨个塞进他们裆间。

“夹紧，夹住，咱们先练大腿内侧肌肉的力量，谁也不许掉，谁掉我就抽他三鞭子。”

老太太走到大家面前，看着他们冷笑：“别以为芭蕾好学，我不叫你们死几回，就是误人子弟。”

元豹裆里的铅笔掉了，老太太啪啪就是三鞭子，拣起笔又给夹上。刚一松手，笔又掉了。老太太又是三鞭子，再夹，又掉。

“嫌细对吗？”

“有点，您给找个篮球来。”

“篮球没有，您看我怎么样？”

“您也细点。”

“看得出你是练过。”老太太咬牙切齿地发狠说，“好，咱们先练开胯。”

老太太把元豹揪出队列，照每只脚上各踢一脚，使元豹大劈叉支在地上，随即一迈腿骑上元豹脖子使劲往下蹾屁股。

“咱们再练下腰。”

鞭子啪啪抽着元豹的手。

“双手抱腿，脸从裆里钻出来，看着我，笑一下。”

元豹脸夹在腿间，抬眼看看自个儿肚脐，微微一笑。

“好样的，算你有道。出来，咱们再练单腿转。”

老太太把着元豹双手使劲一拧，元豹陀螺似的转起来。老太太在一边拍着手嚷。

“转！转！转！别停下！”

元豹转成了一股旋风，身子都虚无了，只有一双眼睛时不时出现在旋风中。

老太太长时间地凝视元豹，慢慢露出狞笑：“好，你练得不错，现在咱们练习双人舞——你们别动，老老实实夹着。”

老太太猛地回头冲那些已经摇摇欲坠的姑娘们怒吼。甜蜜地走进元豹怀里，转身仰脸对元豹说：

“把住我的腰。”

老太太翩翩起舞，做天鹅低头啄羽毛状，一条腿竖到天上，一只手在嘴前波浪般地摆动，一只手在元豹嘴前乱扭。

“注意看我的手势，现在扶着我转，走，托起我，轻轻放下，再托……停。”

元豹松开老太太，老太太回过身问：“这个动作看清楚了吗？”

“看清楚了。”元豹回答。

“好，那你来做一遍，我来扮男演员。”

老太太一闪，使劲抓着元豹的腰，像拖住一辆要滑下坡的车，一边还嚷：

“手，手，手举起来。”

元豹一只手举到老太太嘴前，几个手指搓着泥儿，弹着假想伪泥球儿。

“你这体重不行啊。”老太太放下元豹，松开手喘着气说，“起码要减掉三十公斤。你回去不要吃饭了，我给你找点泻药。”

“行啊，你怎么解气怎么来吧。”

“你们，”老太太冲姑娘们喊，“把铅笔拔出来，统统头冲后下腰，什么时候叫起来再起来。”

姑娘呈反弓状弯下，犹如一座座拱形小桥。

老太太在地板上侧身躺下，头枕一臂，一腿蜷一腿蹬直醉卧花丛的感觉。招呼元豹：

“来，抱我起来……别跟抱死孩子似的，一手托脚，一手抱腿，对了，牢牢抱住我的粗腿，举起，两臂伸直……”

元豹举大旗似的一手攥老太太脚腕一手抓老太太大腿根儿把老太太竖得高高的。

老太太在空中两手乱舞，头像拨浪鼓似的颠来倒去，做各种死去活来揪心扯肺欲求不得欲罢不能状，直舞得天昏地暗日月无光汗水泪水清鼻涕滴滴答答流个不停，元豹一头一脸湿漉漉。

坐在马桶上的刘顺明抬起手轻轻地鼓起掌。

姑娘们都从裆里露出脸，嗑着瓜子聊着天看着老太太啧啧称羡着。

“谢谢。”老太太从元豹怀里跳下来，“你是个天生的好舞伴。”

老太太撇下元豹，走到墙边摘衣服，刚伸手，忽听一声喝：

“呔，干什么？”

邋邋遢遢的管理员横眉立目地走出来，瞪着老太太。

“拿衣服，干什么！”

“拿衣服？”老头子上上下下打量着半裸的老太太，指指墙上的衣服，“这衣服是你拿的吗？没钱买衣裳就光着，偷可不成。”

“怎么是偷？这衣裳是我脱了挂上的。”

“老大爷。”元豹过来解释，“这位夫人的确不是偷。不光是她，我们的衣服也都挂在这儿——刚才我们进来时您不是都看见我们一个个穿的人五人六的。”

“别蒙我，小伙子。”老头说，“我虽年老，可不糊涂。在艺术馆当差也不是三年五年，久病成医，什么是衣裳什么是艺术品我还分得出来。我让你说，这墙上挂的哪件是衣裳哪件是艺术品？”

众人一看，果然那墙上的展品衣裳和姐儿几个的衣裳不分彼此，同样斑斓，浑然一体。

“算啦，我也不说你们是诈骗集团了，赶紧走吧。”老头往外轰人，“挺大的人了，特别是您，夫人，少说也有七十了，找碗干净饭吃不好吗？”

“可我们确实是穿着衣裳来的。”元豹边被老头推着往外走边再三说明。

“你们不算冤，好歹每人还留了件游泳衣，有的是那一丝不挂轰大街上的。活这么大了这道理还不懂？什么东西一挂上墙那意思就变了，就摘不下来了。”

刘顺明贼溜溜地站起来想溜出去，被老头儿一眼瞄见：

“上哪儿去？”

“回去。”刘顺明坦然地回答。

“回哪儿去？”老头儿拦住他，把他推回马桶按坐下。“既然指派你坐在马桶你就踏踏实实坐着别怀二心。”

“我不是展品。”刘顺明在马桶上直撂蹦儿，被老头儿死死按住。

“是不是展品你说了不算。我反正就一条，馆里的东西谁都不能动，甭管是什么。”

老头儿把元豹他们推出门，反锁上。刘顺明扑到门玻璃下，用手抓挠着玻璃，凄凉地望着门外自由的同伙儿。

元豹和姑娘们双手抱着膀子，瑟缩成了一堆儿，徘徊在艺术馆的台阶上，羞答答地不敢见人。

老太太昂首阔步走在街上，一脸冷笑，用刀子般的眼光回敬着每个胆敢看她的人。所有看她的人，在她的目光逼视下，都由讪笑变成畏惧。有些人实在难以无动于衷实在不自在，索性也脱去衣裤，半裸地雄赳赳地跟在老太太后面走，心安理得傲视他人。

元豹像教练员领着运动员训练一样，喊着口令，带着那队姑娘往家跑。没人注意他们。

路灯下，墙角处到处站着或走着一个个、一对对穿风衣戴眼镜的青年男女，每人怀里抱着一本厚书手里拿着一瓶“可乐”，幽灵般地走动着，有的怒目圆睁，有的若有所思，有的面带忧戚。

黑影里，两个戴红袖箍的老太太在窃窃私语：“瞅出这路子没有？这帮学生又要闹事。”

“二位爷，二爷爷，该起了。”

一个茶房穿着大褂毕恭毕敬地站在床前轻声叫着。

赵航宇和孙国仁睡在床上，香甜地打着呼噜。

“二爷爷，二爷爷，到点儿了。”

赵航宇猛的从床上惊醒，一骨碌坐起来满头大汗一脸惊恐，张着发干的嘴问：

“我这是在哪儿？”

“在宫里。”茶房媚笑着回答，“没在刀案子上。”

“吁——”赵航宇长出一口气，定下神，一脸不耐烦地问，“睡得好好的，叫我干吗？”

“到点儿了。”茶房指指桌上的钟表。“正下半夜两点，您不是吩咐，隔两小时叫您一回，换个房间去睡。”

“噢，对了，想起来了。”赵航宇捅身边的孙国仁，“起来起来，该换清式龙床睡了。”

赵航宇和睡眼惺忪的孙国仁从席梦思床下来，跟着茶房离开这间法式豪华卧房，来到走廊上，走廊一望无尽，金碧辉煌，到处是镜子和枝形水晶吊灯，排列着一间间式样不同的豪华房间。

赵航宇和孙国仁来到一间一色酸枝木家具、古董琳琅的中式房间，爬上巨大的带帐幔的龙床，倒头便睡。

孙国仁在梦中还不忘叮嘱茶房：

“四点叫我们去清真寺。”

| 第十四章 |

“你问我当时按兵不动想什么？”

唐老头儿迷迷瞪瞪地问坐在审讯台后的胖秃子。

“我在想，帝国主义也不容易。”

唐老头在椅子上坐坐正，皱着眉头边搜肠索肚地回忆边吞吞吐吐地说：

“从天津跑出来，我是坐船沿着潮白河跑到高家村投奔的刘十九。我这人见水就晕，坐那两小时船没风没浪的都吐出了花花肠子。上了岸，还是晕总觉着脚下在晃。晕劲儿还没过，就赶上了北洼大战。刘师兄给了我一彪人马，让我埋伏在高粱地里，待正面一打响就数数，数到一百零八下就领着人马杀出来，抄八国联军的后路。战斗打响了，八国联军举着刀端着枪从我跟前冲过去，一个个挺胸凸肚挺威武，边冲还边喊，小嗓子都喊哑了。我就寻思，这八国联军虽然红鼻子绿眼儿可也是人。将心比心，我在本国内河坐了两小时船就晕成这样，人家打大老远的外国打海上坐着船漂洋过海来侵略咱们，真是不容易。就这么一走神儿的工夫，那边就打完了，刘师兄已经被五花大绑地捆走了。”

“这阵工夫有多长？按北京时间。”

“能有多长？好几万洋人打好几万庄户人，也就是历史的一瞬间吧，我也没掐表。”

“那么你后来呢？”

“我？主力都打垮了，我这百十号人能干什么？我只好跟大家说，哥们儿们，撒丫子吧，想活命的就快跑。”

“你就这样瓦解了队伍？”

“就这样，本能地决定分散突围，保存革命的火种。”

“你这是在犯罪，晓得吗？”

“不晓得。墙倒众人推，天塌高个顶，趁火打劫，鸡蛋不能往石头上碰，我一点没违反战略——头里那几仗我们都是这么打赢的。”

“见着㞞人压不住火，见着能人直不起腿——这么形容你一点没错吧？”

“没错，这么形容您也一点没错。”

“老实点！别忘了你现在在哪儿！”

“一点没敢忘，我要是忘了，这天地间就没您了。”

“老叛徒，这么多年怎么就没早点把你挖出来。”

“会躲呗，糊弄你们还不是小菜儿？老实说，我要是乐意，能千秋万代和你们站在一起一点马脚不露。”

“我看你是活腻了。”

“你要活到我这岁数，隐藏个一百来年，你也得腻——跳出来得啦。”

“你的领导呢？”

“展览呢。”

白度和孙国仁站在衣衫褴褛、面有菜色的元豹面前，既焦急又不安。

“谁派他去的？马上就要检阅了，他不说抓紧时间给你热热身，倒自己跑去出风头。”

“他也是被抓去的，身不由己，可能是人家觉得他像谁。”

“胡闹，现在还有没有王法！”白度义愤填膺，“赵老知不知道这些事？”

孙国仁叹口气：“不要提啦，赵老已经堕落了。一晚上换上八个地方睡觉，白天就精神恍惚。”

“生活啊，真是腐蚀人。”白度说，“这样吧，你派人去和抓走刘顺明的机关交涉一下，看用什么办法能把他保出来，这节骨眼儿上没他还不行。我带元豹去搞点饭吃，要汇报表演了，饿着肚子怎么上得了场。”

“能不能设法把汇报演出日期推迟一下？”

“恐怕不可能。股东们已经集体下了最后通牒，拿不出成果来就扭送咱们去法院，告咱们诈骗。”

“赵老什么反应？没去再做做说服劝解工作？”

“赵老拍了桌子，骂了人，又能怎么样？拿不出东西红口白牙许诺谁还信？股东们都撕破脸了，这人一不要脸了很多事情就没法糊弄了。”

“鼠目寸光啊——这些人。讲好了同舟共济半道上又纷纷下船。”

“你怎么样？”白度问昏昏欲睡明显有些体力不支的元豹，“能坚持到最近的饭馆吗？”

“给我沏杯麦乳精。”

"哪儿还有强化食品？"白度环视空空如也的室内，"能当的全叫刘顺明当了吃西餐了。你就先喝杯糖水吧。"

白度找出个糖罐，把所有剩下的糖末儿都倒进一只杯里，冲上水递给元豹。元豹一口气都喝了下去，舔着嘴唇伸着空杯："还要。"

"这样不行啊。"孙国仁用手搬着元豹嘴巴看看他的牙口，"他还需要补，大补，否则拿出去也会被打回来，商检那一关也就过不了。"

"振作点，元豹。"白度摇着委靡不振的元豹，"你可不能趴下。你才饿了三天，长城压根儿就没吃过一口，照样屹立了几千年。"

"咱们中国能让人从月球上看见的就你们俩了。"孙国仁也声泪俱下。

"我想吃只鸡。"

"给你，都给你，还想吃什么？只要国内出产，全国人民不吃，虎口夺食也要给你弄来。"

白度抹抹泪站起来，坚定地对孙国仁说：

"砸锅卖铁，也得让元豹吃顿饱饭。"

一个简陋的个体小饭馆，孙国仁和白度搀着捂着军大衣仍然浑身哆嗦走不动道的元豹走进来，在一张污渍斑斑的破桌子旁坐下。

孙国仁敲着桌子不耐烦地喊："老板，上菜！"

坐在收款台后面的老板娘看看这三位，又抬头看看收款台玻璃上贴的一张带照片的通缉令。叫出老板，用下巴指指那边坐着的三位，嘀嘀咕咕说了半天，老板解下围裙撸胳膊挽袖子地过来：

"您三位是'全总'的吧？"

“是啊？你怎么知道？”孙国仁很兴奋，指着元豹介绍说，“这就是唐元豹，咱们国家新选出的头号男子汉，你一定在电视上见过他。”

“你就是唐元豹呀？”旁边桌上三个正在喝酒的小伙子中的一个转过身问元豹，“怪不得看着眼熟。”

“你们是干什么的？”孙国仁笑嘻嘻地问人家。

“什么也不干，混混儿。”小伙子说一句，转回身继续喝自己的酒。

老板和元豹握握手，对孙国仁说：“三位要吃饭是吗？”

“是。”白度说，“这难道还用问？你就快点吧。”

“这样吧，你们打我一顿得了。”

“这是怎么说话呢？”孙国仁急了，“我们是来吃饭的，打你一顿算是怎么回事？”

“饭是没有。”老板沉着地说，“命倒有一条。你们挑吧，是手牵手下油锅还是个顶个滚钉板，随你们——反正我不赞助你们这顿饭！”

“噢，你是怕我们吃饭不给钱。”白度恍然大悟，“告诉你，我们有钱，也准备付。”

“拿出来，”老板伸出手，“先交给我。”

“没听说吃饭还要交押金的。”孙国仁急赤白脸地嚷，“种族歧视是不是？告诉你，我这是在自个儿国家。”

“为什么不信任我们？”白度问老板，“我们哪点像吃饭不给钱的？”

“不瞒三位，你们‘全总’已经被我们饮食行业通缉了，三位都已被列入饮食行业全体从业人员须谨防的全市吃饭不给钱的人员名单中。我也不知道你们三位从前吃饭给不给钱，我只知道

‘宝味堂’经理是被你们逼得跳楼的。”

“咱们走，不在他这儿吃。”孙国仁愤愤地站起来，“小看人。”

“到哪儿都一样，先生，三位的模样儿身高都已布告全市饭庄餐厅了。”

“算了算了，我们先给他钱。”白度从皮包掏出钱递给老板，“有什么呀？早晚有一天这些伙食头子会后悔没在危难时拉咱们一把。”

“实在抱歉。”老板点点钱，满意地塞进怀里，“我也是不得已，我还年轻，不想就这么不明不白地被人毁了。三位想吃点什么？”

“大补的，驴鞭狗肾猪腰子，你这儿有什么下水上火的就统统切下来拌上葱蒜端了上来。”

元豹暴吃暴喝，一口没嚼完又填进一口，两腮帮子鼓鼓的像塞了俩乒乓球，边吃还边俩眼骨碌碌地盯着盘子。

白度和孙国仁心疼地望着元豹，满桌菜肴几乎一口没舍得吃，全尽着元豹了。

“这孩子是给饿坏了。”

“慢着慢着，那不是鸡爪子那是你自己的手指头。”

元豹很快就把一点菜吃得精光，仍是一副饥渴难耐的劲儿。

“老板，照原样儿再来一份儿。”白度叫。

又是一桌菜送上来，眨眼之间又扫个干净，元豹仍是不知餍足的贪馋相儿：

“还要吃。”

“没了，我们已经被你吃得一文不名了。”

“不饱。”

“这可怎么办？跟老板好好说说，赊一桌。”

“肯定又是让咱们打他一顿。有没有什么办法，不吃也能让人饱的？”

“有的糟人倒是能让人一看就饱。”

“好好想想，祖国文化遗产这么丰富。”

“……想起来了，气功里不是有‘辟谷’功吗。”

元豹一手攥着火线一手攥着地线，气功大师一合闸，元豹浑身登时透明了，剧烈抖动，两手冒火花儿，发出大声的惨叫：

“啊——啊——！”

气功师一扳闸，问道：“还饿吗？”

“不，不饿了。”元豹有气无力地回答。

“这‘辟谷’功还真灵。”孙国仁在一边看得十分惊奇。

“这哪是‘辟谷’功。”气功师笑说，“这也就是充充电，增加点能量。‘辟谷’功可不是一般人能练的，那是仙境。凡夫俗子也就是过过电，打打鸡血，省个一顿半顿的粮食。”

“不管长用？”

“不管长用，一时之需。”

“那就是说，到晚上他还得饿？还得闹吃？”

“他要还闹吃，就还给他过电，一天三次，一次二百二十伏。时间长了电流量还要增强，防止他饭量见长。”

“我不喊饿了。”元豹哭道，“别电我了，我今后再也不喊饿了。”

白度举着一粗针管子红色黏稠液体推出针管内的空气，向元豹走来。手拿着一支蘸了碘酒的棉签，让元豹挽起袖子，好言相劝：

“听话，把这针鸡血打了，打完你就有劲儿了。”

白度在元豹肘窝处的静脉处涂了涂碘酒，扔掉棉签，用手扇了扇——一针扎上去！

“听话。把这碗童子尿喝了，喝了你会心清气爽。没毒，我们难道会害你吗——都是为你好。怎么样？特别愉快对吗？”

“特别愉快。”元豹躺在一根扁担上闭眼说。

第十五章

布满丘陵、沼泽、湖泊、河流和灌木丛的荒原对面山坡上搭起了一座支着雪白天棚的大看台。

看台上摆着西瓜、汽水和香烟。

赵航宇陪着经理、农民企业家、个体户等上百名股东戴着草帽墨镜扇着扇子步入看台，依次就座。

白度领着两个姑娘给来宾们一人发了一架望远镜并捧了个大本子请来宾们一一签到。

来宾们纷纷举望远镜对着寂寞的荒原调着焦距，东瞅西瞧。

“演员很快就会出场。”赵航宇回过头来对大家说，“大家可以注意对面山上的那处悬崖，一会儿演员就要先从那上面跳下来。”

“啧啧啧，这么高，底下有没有什么保护措施？”

“什么都没有，全凭演员的一身功夫。”

“了不起，这个演员厉害，当年狼牙山应该派他去守。”

“小白呀，”赵航宇招呼白度说，“通知对面可以开始了。”

对面悬崖上，孙国仁正在为全副武装背着大步枪腰里插满手榴弹的唐元豹检查着装。

“风纪扣扣严，皮带扎紧。脚下的鞋脱下来，这次演习规定不许穿鞋。”

元豹脱下鞋，孙国仁把两只鞋插到元豹身后的背包上。

“记住，祖国人民在看着你，要勇往直前，视死如归。胜利后回来，我为你请功。”

“要是我回不来了，告诉大家不要哭。”

“你就让大家哭吧，别的忙也帮不上你。”

“劝劝他们，就说我是为人民而死的，死有余辜。”

“我会教他们把账记在帝修反身上的。”

对面山上升起两颗红色信号弹。

“出发的时候到了。”孙国仁催促元豹，“没什么交代的就去吧。”

元豹脚步沉重地走到悬崖边，往下一看，天旋地转。

“不许熊！”孙国仁在一旁厉声喊。

“世界人民大团结万岁！”

元豹高喊一声，眼一闭，心一横，纵身跳了下去。

孙国仁见元豹跳了崖，连滚带爬地跑到山坳，对隐蔽在那儿的一队穿着伪装服的保安队员喝令：

“进入阵地！记住，谁要是不按规定挨打，伤了元豹一根毫毛，回来我扒了谁的皮！”

“喳！”

保安队员们抖擞精神沿着一人多深的交通壕，分头跑向自己的位置。

看台上一片兴奋，喇叭里放着战争电影的录音剪辑，枪声炮声响成一片，伴随着雄壮的交响乐。人人都聚精会神地把着望远镜观看。

望远镜的视界内，只见元豹像片羽毛似的从悬崖上跳下来，缓缓地落在崖下的荆棘丛里。半晌，他浑身是土摇摇晃晃地站起来，扇了自己两嘴巴，定了定神儿，撒腿跑起来。

只见他时而匍匐蹭行，当有隐蔽物时便爬起来猫腰迅跑。一个土包后闪出一条大汉拦腰抱住了他，被他轻轻一甩像扔谷草捆似的扔出老远，躺倒不动了。当他跑到一棵树下，树上又跳下一条大汉骑到他背上，被他一个背挎摔昏过去。

元豹在树丛间、丘陵上狂奔；在沼泽中艰难跋涉；跳过一条条壕沟，攀上一座座绝壁；和不断出现的敌人搏斗，战胜他们，向看台奔来。

他跳进一条湍急的河流，奋力泅渡，河里钻出水鬼，于是展开一场激烈搏斗。元豹和水鬼此起彼伏地被对方把头拽进水里，咕咚咕咚喝水，露出水淋淋的脸大喘着互相往脸上挥拳猛击，最后水鬼沉没不见了。

元豹精疲力尽地爬上岸。四五个大汉端着刺刀围了上来，元豹握着拳头走起圆场，轮流和他们交手，演出一场空手夺枪的绝技。

四五个大汉被缴械打倒后，元豹又跳进另一条河，奋力泅渡，河里又钻出水鬼，于是又搏斗。元豹爬上岸，又遇见四五个端着刺刀的大汉，于是又空手夺枪……

炮火在轰鸣，一发发大口径炮弹在奔跑的元豹身旁左右爆炸，掀起冲天的尘土，炸出一个个大弹坑。元豹的身姿时时被火光和硝烟吞没，然而，每当硝烟散去，元豹又跳起继续向前飞奔。

一队敌人坦克蜗牛似的缓慢爬行着，出现在元豹前面，排成一排，像行刑队处决手无寸铁的犯人一样，转动着炮塔、瞄准元豹——一齐开火。元豹，屹立在硝烟散去的坦克前，一出拳，一辆坦克冒出浓烟，坦克兵跳出坦克四散奔逃，被元豹连连出拳，每人帽子上冒出一股红烟。一辆坦克冲上来碾过元豹的身体——坦克被硌翻了，元豹抖抖土从容地站起来。

元豹一路冲杀着继续向前进，看来没什么能挡住他了。他的脚步虽然踉跄，脸上却充满胜利的渴望。

横亘路上的一个煤气罐着火，火势猛烈，元豹冲过去，把手伸进火里，关上煤气阀门。

他继续向前跑来。一座房子着火了。他一头扎进火海，浑身冒着火苗冲出来，回身鼓足腮帮子吹了两口气儿，比画了几个手势，火苗微弱，暗淡下来，化为一片灰烬。

他继续往前跑，一堵砖墙挡住了他的去路，他退后几步，调整了一下步伐，噔噔噔迈了大步腾空而起一头撞上去……他继续往前跑，砖墙已在他的身后，那上面留下一个人形的豁口。

他向看台跑来，脚步轻盈，矫健如飞，他身后的路一段段坍塌——那都是铺着稻草和浮土的陷阱。

他在布满尖钉的烧红的铁板上芭蕾舞演员一样灵巧地跑。

他在湖面上滑水运动员一样喷溅着水花一般地驶进。

他向看台跑来，近了，大了，清晰了，浑身的装备和脸上的微笑都很分明了，甚至能听到他身上枪支和手榴弹碰撞的叮当声和他光脚板踩在碎石路上的“扑扑”声。

看台沸腾了，人们纷纷放下望远镜，站起来用肉眼看着正一步步向山上跑来的元豹，热烈地鼓掌，大声地加油：

“来个好儿嘿——”

“嘿——好！”

“来个妙嘿——”

“嘿——妙！”

“再来一个要不要嘿？”

“嘿——要！”

在一片掌声和喝彩声中，元豹终于跑到了终点。

掌声如潮，鲜花似雨，元豹两手捂腰慢慢地溜达着，微笑着向欢呼的人们招手。

白度和两个姑娘跑上去，把一条毛巾被披到他肩上，往他怀里塞了一抱鲜花，然后簇拥着他向休息室走去。

一大群扛着摄像机举着照相机的记者跟上去，纷纷抢拍元豹的形象，闪光灯闪成一片耀眼的光斑。

“噼里啪啦，噼里啪啦。”一片耀眼的光斑。

一群记者手举着一群照相机不停地按着快门倒退着进入大厅。

在镜头对着的方向和闪光灯照得雪亮的空间，赵航宇和一百多名股东们满面微笑拍着手一步步走进来。

元豹披着毛巾被羞羞答答地独自站在脚手架般的合唱队专用木台阶上。

赵航宇和股东们一边看着他一边鼓着掌走过来，络绎不绝，走过去还扭着头看，最后站成一大圈慈祥地笑着看着元豹鼓着掌。

掌声中，经理凑过去看着元豹腰里的手榴弹问道：

“你就是凭这些武器战胜困难的？”

孙国仁从人群里挤出来回答说:“他没有使用任何武器，首长。这些都是摆设，他就是凭着一颗红心两手老茧闯过来的。”

“是吗?”经理拿起一只元豹的手,惊叹地摸着上面的硬趼,“熊掌似的，这一巴掌糊谁身上谁也得残废。”

“给首长看看你的脚。”孙国仁搬起元豹的一只脚，脚心朝上给围过来的股东们看，“这上面全是自个儿长的，没打掌，不信你们摸摸。”

几只白胖的手指在元豹脚心上按了按，一片惊叹：

“真比那驴蹄子还结实。”

“你这一身功夫是怎么练的?”农民企业家问元豹。

孙国仁立马招招手，两个汉子立刻抬来一只吊着的沙袋。

“他每天都打它，打惯了，自个儿也禁打了。”

经理饶有兴趣地挥拳在沙袋上比画了两下，踢了一脚，高声对众人说：

“好，有这样的壮士，我们还怕谁跟咱们过不去!”

“来来,我们照个相。”赵航宇张罗着,“让记者给咱们合个影。”

股东们纷纷爬上木架子，肩并肩手背手挺胸凸肚绷着胖脸一排排站好。

白度领着工作人员搬来几把椅子，让赵航宇、经理、企业家等几个股东中的头面人物在第一排坐下。

元豹被挤到了台下，东转西转找不着插脚的地方。那边记者们已经在噼噼啪啪地照了，所有人都光顾庄重地面向镜头，没人注意他。

还是经理慧眼发现元豹灰溜溜地站在一边，忙招手叫唤：

“来来来，到我这里来，怎么把我们的主角忘了。”

元豹来到前排站没地儿站，坐没地儿坐。

经理一指自己脚下："你就跪这儿吧，我手搭你肩上。"

元豹跪在前面："单腿跪还是双腿跪？"

"就单腿吧，双腿像什么样子。"

所有人面向镜头，闪光灯交织在一起，形成一片耀眼的光斑。

耀眼雪亮的光斑后面，一个记者鼓捣着按不动的照相机问静静地站在一旁的白度：

"不是说看拳吗？怎么改野战了？"

"给你看什么你就看什么吧。"白度面无表情地回答，"没得看了你再问。"

荧光闪闪的电视屏幕，正斜着眼看一边的罗京忙正过脸来一本正经地说：

"今天下午，在北京西郊演出了一场全武行。中国头号男子汉唐元豹在全国人民总动员委员会组织的一场汇报演出中大显神通，在方圆五十多公里的范围内所向披靡，如入无人之境。征服了四座高山，涉过四条河流，踏平了四处沼泽，击败了四十个对手，扑灭了四处火灾，另外还穿越了四堵砖墙，令在场的四百多位来宾叹为观止。下面请看本台记者热合曼的详细报道。"

电视上出现元豹跋山涉水、灭火格斗的一个个画面，穿插着看台上观众张大的嘴和哆嗦的握着望远镜的手。

画外："有关方面专家认为，像唐元豹这样具有极大的忍耐力和超人技艺的男子在国内目前还找不出第二个，理应列为国宝，作为重点保护。另外也要深入地对唐元豹进行研究，看看他是怎么闹的，这也许对提高全民族的素质不无启发。据'全总'工作人员介绍，他在这次令人眼花缭乱的表演前已经一个多月没好好吃饭了，每天只是充充电打两针鸡血喝一碗童子尿精神却越发抖擞，这就使我们不得不需要重新认识一下我国民间流传下来的一些过去被一概斥之为迷信的养生之术。有关专家指出，既然‘全总’这几个人凭着简陋的条件和原始的手段就能培养出一个如此惊人的唐元豹，如果国家重视点，提供些更好的条件，好好总结经验，摸索出一条有中国特色的快速成才法，那么，大批制造唐元豹也不是痴人说梦……本台‘观察与思考’节目下周将就这一问题进行专题讨论，希望广大观众届时收看……”

被元豹硌翻的坦克高高掀起，炮筒朝天向后倒去。元豹从容地从地下爬起来，掸土，慢动作地向镜头转过来，奔跑……

“你掐掐我，你掐掐我。”一个身经百战的老将军目瞪口呆地看着电视，急促地对坐在身边的女儿说，“我不是在梦里吧？”

鞭炮声响彻全城，倏然升起的礼花不时划过夜空，五彩缤纷地呈现、抖闪，雪花般地陨落。

“全总”的眼镜们每人手里擎着一支熊熊燃烧的扫帚或拖把，分头站在每一幢居民楼下放开嗓门喊：

“都出来嘿，上大街，上大街……”

青年男女背着枪，腰里排满手榴弹，光着脚雄赳赳地走出各自的家门，汇成一股洪流，沉默地在街上行进。

走到一个路口，迎面又过来了一支同样装束同样由青年男女组成的队伍。双方会师，欢呼拥抱起来，合为一股沿着大街前进，高唱着《国际歌》：

“英特纳雄耐尔就一定要实现！”

“全总”总部大楼灯火通明，会议室里，全体头目坐在会议桌旁正在紧张地开会。

主持会议的赵航宇兴奋地对大家说：

“这次汇报演出空前地成功，在社会上引起巨大的反响，各地的贺电和汇款雪片般地飞来，令我们应接不暇。我们一定要趁热打铁，争取再多搞些活动，大捞一把。”

神色憔悴的刘顺明说：“民心可用啊。”

“对！”赵航宇继续说，“要掀起一个学元豹赶元豹的热潮，让生活充满阳光……”

一个眼镜满头大汗地闯进来，结结巴巴地说：“来了，来了……”

“谁来了？”孙国仁揪住他厉声问，“公安局？”

“群众……群众来了，来向我们祝贺……”眼镜手指着窗外。

窗外广场上传来嘈杂的人声、脚步声、欢呼声和歌声，声如潮涌。

赵航宇一脚踢开椅子，冲到窗边，冲窗下广场上的人群张开双臂送飞吻。

黑压压无数的青年男女只是冲顶层欢呼，挥手。

赵航宇抬头一看，他上面的窗户边元豹穿着睡衣一手揣兜一手向群众挥手。

赵航宇快快走回会议桌，闷闷不乐地说：

“我们继续开会……我认为对元豹的宣传要适可而止，不要引起混乱……”

“谢谢你，元豹，为国争光。”

人群中有人大声朝站在楼上窗户边的元豹喊。

元豹眼含热泪，哽咽着抿着嘴向人群挥拳致意。

人们都红了眼圈，纷纷低头抹泪。接着又仰起头眼巴巴望着元豹。

“同志们，同胞们。”人们安静下来后，元豹说道，“我很幸福。”只说了这一句，又泣不成声。

广场上响起热烈的掌声，每个人脸上都流下激动的泪水。

“说点带劲儿的！”背枪的男女们齐喊。

“带劲儿的？”元豹擤擤鼻子，抹抹泪，大声喊，“男儿，男儿有志不在年高……男儿不让须眉男儿男儿何不带吴钩……”

“再带劲儿点！”

“……你们弄死我吧！”

“越说越不像话。”赵航宇牙疼似的捧着脸堵着耳朵听着外面群众和元豹的一问一答，“这个唐元豹不会说个话，快去找两个人把他从窗户边拉开。以后这种和群众对话的场合不要叫他单独出面，搞不好要出乱子。”

“我现在更担心的是唐元豹翘尾巴。”刘顺明说，“以后不好管理。”

“不怕他翘尾巴。”孙国仁说，“我们既然能捧他也就能灭他。”

“要着重宣传我们是怎么一把屎一把尿地把他拉扯成人。”赵航宇说，“让群众分清是非。”

元豹已从窗户边消逝。广场上的人仍在兴致不减地喊：

“我们要见元豹，我们要见元豹。”

一队队警车从各个方向拉着警笛快速驶来，无数的警灯在闪动，大批警察包围了广场的人群。警车上的广播喇叭反复广播着：

“全体趴下，放下手中的武器，用手抱着头一个跟一个往这边走……”

广场上的人群，像倒伏的庄稼一片片躺倒。

| 第十六章 |

“你被捕了。”

两个警察严肃地站在元豹面前，宣布。

“什么罪名？”元豹伸出两只手让警察给他戴上铐子。

“煽动叛乱罪。”警察亮出逮捕证，让元豹签名，然后架着他，带出门推上警车。

警车拉着笛驶走。

“唐元豹的表现不是偶然的。”

电视台的演播室里，赵航宇容光焕发地看着女主持人侃侃而谈。

“是我们精心培养的结果。如果你们从前见过唐元豹一定会发现他只不过是个相当平凡的人。自从到了我们手里，我们为他精心制定了食谱，制定了周密的训练计划，一点点，一步步地开拓他的视野，培养他的兴趣，从古今中外的文明宝库中汲取营养，于是乎，他才变成今天的这副样子：坚韧不拔，不屈不挠，经得起摧残，受得住打击，老是笑呵呵的……”

“我来补充一点啊。”气功大师说，“唐元豹之所以具有超人的耐受力和几乎可以逾越一切的能力，这和气功的作用是分不开的。当我第一次见到唐元豹时，他简直就是病魔缠身，风吹就倒纸糊的一样。经过我给他的精心治疗和发功，很快就判若两人。红光满面，行走如飞，不吃不喝还挺肥，不晒太阳还挺黑……”

“你那都是后来了。”赵航宇笑着打断气功师的话，“在这之前，我们早折腾他多少遍了。”

“我觉得啊，”一直坐在一边倾听的小绅士插话说，“你们刚才谈了半天，主要还是谈他的身体素质方面。当然他身体是很好，但论说他具有超人的忍耐力或经得起摧残，这我都同意。但我觉得唐元豹之所以可贵、难得，值得我们大家今天坐在这里研究他，主要还在于他的气质，那种忠厚老实俯首甘为孺子牛的精神——这个现在不多见了，说是找不到第二个我看一点也不是危言耸听。”

小绅士摸出一根烟点上：“于是我就想了，他为什么会这样？任人役使，毫无怨言，一点自尊都没有了。”

“大公无私，公而忘私！”女主持人说。

小绅士看她一眼，吸口烟：“恐怕还不完全是这样，这么说简单了。我跟元豹接触不多，也就是一面之交，我发现这孩子听人说话很专注，非常谦虚，甚至还有几分腼腆。我认为这就是一个非常关键的原因。来者不拒嘛，只要对他有益就统统接受，不像有的年轻人偏食，偏食怎么能营养好？只有站在巨人肩上才能看得远。唐元豹聪明就聪明在这儿，他以卧姿站在了我们这些人的肩上。”

“我认为唐元豹的产生不是偶然的。”穿风衣的女导演说，“我不同意刚才小先生的说法。唐元豹不是绝无仅有的，而是一批年轻人。他们不是靠哪个人成长起来，而是书！记载着有史以来所有人类精华的思想、行为、言论的书，造就了他们。使他们有胆有识，学有榜样，赶有目标。我在唐元豹身上就看到了古罗马角斗士和受难基督的影子。前些天中央电视台播放新闻时提出了一个问题：大批制造唐元豹行不行？当然不是原话了。我认为行，但是，欲先大批制造唐元豹必先大批制造书。书，是人类的朋友。如果没有书，我们至今还将在黑暗中摸索……”

“我不同意把唐元豹提得这么高。”芭蕾舞女教师愤愤不已地说，“我不知道‘全总’为什么要培养这么一个人，还把他抬到这么高的位置上宣传。我跟唐元豹只有一次接触，我发现他这个人很坏，很不老实。貌似忠厚，心中藏奸，寡廉鲜耻，笑里藏刀，一身的油滑习气。和那些自尊自爱奋发图强的青年比起来，他人格十分卑下、庸俗，我不能对一个丧失了自尊自己拿自己不当人的人产生信任好感。如这样一个人成了我们青年的榜样，那我看我们国家的前途就很值得担忧了。我认为创作唐元豹的作者是很不严肃的，从唐元豹身上可以看到作者的低级趣味和哗众取宠，我们姑且不说他是别有用心。一点不好笑嘛，拿肉麻当有趣。不客气地说，是对我们当代中国青年的污蔑侮辱。我要问作者，唐元豹这个人究竟有多大程度是真实的？那么多优秀的在各行各业勤勤恳恳任劳任怨的青年不去描写，却把注意力放在这样一个令人生厌的人物身上，这和我们这个时代相称吗？作者的责任感和使命感何在？要把我们的青年引向何方？”

“我来插一句。”白度说，“我来回答这位女同志的提问。首先，我们创作、培育唐元豹是为了一个直接的简单的目的，那就是为国争光，在世界自由搏击擂台赛上争取冠军，升起五星红旗。其次，我们是按照元豹个人条件制定训练方式和方案，没有考虑对全国青年的广泛适用性，更不存在让全国青年统统效法的初衷。实际上，唐元豹就是唐元豹，谁也学不了他。我们也无意拿他去和什么人开玩笑哗众取宠，更谈不上利用唐元豹丑化污蔑广大青年。当然，培养唐元豹也没有先例可循，我们在摸索中不免泥沙俱下鱼龙混杂，走了一些弯路，有的地方没掌握住，分寸失当，这是我们需要吸取的教训。至于你说唐元豹这个人究竟真实不真实，这个我也难说，每个人都有自己的人格面具。我们可以互相不喜欢，但要学会互相容忍。譬如说我对你也不喜欢，我就不说你的存在是对妇女的丑化和侮辱。”

“我们讨论得很激烈啊。”女主持人说，“大家的观点针锋相对。我看下面是不是这样，先暂时不去评价唐元豹，把议题集中在：如果唐元豹代表着我国一代新青年的风貌，我们怎样使更多的唐元豹涌现？”

“我觉得唐元豹还是应该肯定的。我不太了解他私下的表现，也不知道他骨子里真正在想什么。但就那天汇报表演中他表现出的大无畏精神和敢于面对一切困难的勇气，我认为还是很令人钦佩的。”

“代表不代表新一代青年姑且不说，但唐元豹本人不应受到指责。说老实话，在他面前我自愧不如。就是用金子把我埋起来，我也没有他那份勇气，生死荣辱一切置之度外。”

“我仍然认为你们抬高了他，被他制造的假象所迷惑。他并不是因有了崇高的信念而赴汤蹈火在所不辞。”

“我认为唐元豹堪称中国头号男子汉，尽管这个概念不科学，不管他出于什么动机，但就其行为讲令人肃然起敬。刚才哪位同志讲过他自愧弗如，我也自愧弗如，你们在座的哪位能做得到？我看我们都属于爱自个儿爱得不得了的人。如果中国真是有了这么一批唐元豹，少一些你我之辈，我看中国的事要好办得多！至于怎么使更多的唐元豹涌现出来，我还没有想好。读书是不是能使人读聪明了？我看未必，我们在座的哪个不是书蛀虫？我倒有个不成熟的想法，是不是要在遗传工程上做文章，这最可靠也最有效，现代科学技术已经提供了大规模复制一个人的可能……”

“这事一定要慎重，搞不好就会出现第二代都是傻子的后果。”

“我只有一个请求。”唐元豹哭丧着脸对警察说，“把我和强奸犯盗窃犯们关在一起，我不愿意当政治犯。”

“008 来电。”

赵航宇和孙、刘等人正在进餐，一个个正襟危坐，紧闭着嘴嚼着食物，面无表情地听女秘书在一旁念电文。

“因国内广泛报道大胖子已知道我们计划对同十亿人为敌感到绝望已于昨夜凌晨口含煤气管自杀身亡呜呼哀哉国耻已雪不胜雀跃盼下步指示是否要拍些葬礼照片以飨国人 008”

“他死了？”刘顺明嘴里含着东西说，“他怎么死了？干吗不敢来较量？”

赵航宇闷闷不乐地吃着、一言不发。

“自知不敌，懂吗？”孙国仁说，“这下好了，哥儿几个脸算是保住了。”

“你懂什么？”赵航宇愣神望着天花板，“脸是有了，饭碗却给砸了。”

“怎么讲？”

“对手没了，还要我们这个‘全总’干什么？”

孙、刘恍然大悟。

“电告 008。”赵航宇一字一顿地说，“秘不发丧，务使大胖子之死不在国内泄露，切断中法之间的一切电话电报和邮路。”

“这能解决什么问题？”

女秘书走后，孙国仁急忙问：

“吓死一外国人，这是咱中国人多大的光荣，国内各报刊还不抢着千方百计发头条。”

“争取时间。”赵航宇噌地站起来，“争取一天是一天。你们立即发动人，翻阅所有中外文报刊，看看我国选手在什么比赛中又失利了。”

“那多了，找不过来。”刘顺明说，“今年就没听说哪个项目赢过，除了小球。”

“我要最惨的，输得连裤衩都赔上的。”

“好的。”

“回来。”赵航宇叫住正转身要走的孙、刘，“唐元豹在哪儿？立即派人把他看管起来，不要让他四处走动。”

“噢，他昨夜已经被公安局看管起来了，因为忙，忘了向您汇报了。”

“看来还是政府知道的消息早哇。好，有政府配合咱们就更什么都不怕了。”

“我们实在找不出男子项目了。”刘顺明抖着一大叠报纸对赵航宇说，“他们连预赛资格都被取消了。”

赵航宇皱着眉头苦苦思索，忽然，一抬头。对刘顺明问：

“那么，女子项目呢？”

第十七章

“我坚决不同意把唐元豹骗了！”白度在窗前猛地一个转身，对一本正经坐在会议桌四周的赵、孙、刘等人说。她嘴唇哆嗦着，竭力克制着自己：

“我坚决不同意把唐元豹同志骗了。诸位，我白某横行天下数十年，自认也是个心狠手辣的。但这事，对不起，我觉得恶心，我觉得太过分了。”

“那你有什么好办法挽狂澜？”赵航宇说，“我们当然也是十分不愿出此下策。”

“没有，我现在心里很乱想不出什么高招。”

“总不能眼睁睁看着我们开创的事业就这么垮了。”

“要奋斗就会有牺牲，我们不能存妇人之仁。这不是针对哪一个人。如果需要，我想我们在座的每一个都会毫不犹豫贡献出自己最宝贵的东西——我们已经把脸贡献了。”

“替元豹想想，他还年轻，还没有用过，就永远失去了，这会在他心灵上造成巨大的创伤。永远滴着血的创伤——他有权利使自己的身体各得其所。”

“为了使这张脸完整，他在其他方面就必得残缺，这恐怕是早晚都要进行的痛苦选择。”

“你说过，他是目前我国的脸中唯一的全活儿人了。”

“他仍然是，我们并非要他残废，除非你认为妇女本身就是有残疾的。”

“这没有什么丢人的，他并不因此就成了怪物。千千万万的妇女原本就没有，她们谁也没抱怨，尽管时而流露出某些遗憾但仍满怀信心像正常人一样生活。”

“甚至更加轻快，跟正常人比别有洞天。”

“有所失必有所得。”

“无产者失去的只是锁链，获得的却是整个世界。”

“道理我是懂，但感情仍然转不过弯儿。你真有把握骗了元豹后他不会变态仍能保持力量和勇气？”

“试一试嘛，不试怎么知道？反正情况不会再坏到哪儿去了，如果我们得到的不是一个亚马逊女战士而是一个泰国人妖，我们也只好偃旗息鼓，解散‘全总’，日后再图东山再起。”

“元豹这杆大旗不能倒，你不但要转弯子，还要亲自去做元豹的工作，让他愉快地接受组织的决定。否则我们只好把你开除出‘全总’主任团。”

“这是组织的决定吗？”

“是的。‘全总’主任团一致通过，并指定我们三个找你谈话。”

“既然是组织决定，那我服从，但保留我个人的意见。”

“允许保留，但组织决定必须不折不扣地贯彻执行。”

“我还有个最后的请求，如果一旦变性失败，我恳求你们不要再试图给元豹重新装上。”

“你把我们想得也太卑鄙了。说实在的，这个决定作出时我们也都老大不忍，很多同志都哭了，觉得对不起元豹。”

“我们这些人哪，也都是刀子嘴豆腐心，如果不是身在这个岗位上，感情要服从需要，要考虑到全局的利益，哪会这么人面兽心？”

“小白呀。”赵航宇手搭在白度肩上带着她一起在屋里来回走，“要充分估计任务的艰巨。这件事说起来容易办起来难，也是，把谁骗了谁没有情绪？除了太监。要晓之以理，动之以情，多讲些妇女也是人的道理，这点上，你是女同志，有优势，要利用。办法是人想的。皇帝我们都改造过来了，他唐元豹总不会比皇帝还刺头儿吧？”

牢房的铁门“哗”的一声拉开了，一个警察站在天窗透下来的阳光中冲昏暗的牢房里喊：

“唐元豹出来，带上你的铺盖卷。”

监狱会客室里，警官正严肃地和白度谈话：

“我接受你的解释。但我要警告你们，你们既是个民间组织，一切活动、言论就不要超出民间的范围，不要和政府的工作搅到一起，更不许在群众中造成你们俨然是个临时政府的错觉。”

“一定。”

“气焰不要那么嚣张，言谈不要那么放肆。要办什么事就老老实实地办。组织比赛就谈组织比赛，培养选手就谈培养选手，多挖掘挖掘人本身的内涵和困境，不要东一榔头西一棒子，离题太远。对社会弊病，光停留在调侃、嘲笑上有什么用？”

“对对，我们一定注意，自己就管自己的事。”

“我也不是叫你们只管自己的事不管别人的事。别人的事可以管，但态度一定要端正，一定要善意的。有社会责任感是好的，但发展到刻薄、尖酸乃至恶毒地诽谤和影射就不好了。”

“我一定叫他们注意。”

“什么叫他们注意？我叫你注意，我现在就盯着你。”

“我注意。”

“光保证不够，我要看你的行动。我了解你们这些人，你们总是阳奉阴违。”

“这回不了，一定同心同德。到时候我们组织和外国人比赛给您送两张票，请您一定去临场指导。”

“我就不一定去了。我对这些和外国人斗气儿的事不感兴趣，国内的事情就够我忙的。

警官站起来，和白度握手告别，送她出门：“这次就宽恕你们。下次，唐元豹再出这种事，我就连你一起追究。谁让你是他的作者。”

“我一定注意不给他胡说八道的机会。”

“要严加教育，控制使用。”

元豹孤零零站在监狱大门内发着愣。

白度夹着包走出监狱大楼，向这边走来。元豹见到白度露出笑容。

“还笑呢。”白度说他，“我为你挨了多少训？下回可得注意了，别光顾一时痛快，自己倒霉不算，我也得跟着背黑锅……走吧。”

白度领着元豹刚出了监狱大门，一群记者和闲人便围了上来。

马路上阳光灿烂，人来车往，十分热闹。元豹眼睛都被阳光照花了，大睁着无神的眼睛，沉着脸，在白度的护卫下分开人群挤着走。

“你对你的所作所为是否感到悔恨？”

“如果再有机会，你是否仍会像从前一样行事？”

“你是否认为你受到了不公正的对待？当局曲解了你的本意？”

记者们七嘴八舌地提问。元豹一言不发。白度连声回答：

“无可奉告。”

阳光和煦，陈设舒适的室内，元豹静静地坐在铺着白桌布的餐桌旁吃饭。室内十分安静，只有餐具和盘碗相碰发出的轻微声响。

菜肴十分丰盛，颜色绚丽。

元豹面无表情地吃着，吃着吃着，他哭了，两行眼泪流下了他的面颊。

白度坐在他对面，手托腮看着他，一动不动，也不说话。

元豹很快擦去泪水，又继续吃，也不抬头看白度一眼。

元豹又吃了一会儿，放下餐具，抬眼对白度冷冷地说：

“我吃完了。”

白度动了一下，点点头：“吃完了。”

“下面该干什么了？”元豹扯下围在胸前的餐巾，扔在地上，站起来，到一边桌上拿起一支烟，用力划了几根火柴才把烟点着，仰起下颏问。

“不干什么，没事。”白度垂下眼用手玩着餐桌上的一副叉子，把叉子旋得团团转，说，“你想干什么就可以干什么。”

“不会吧，怎么会没事？”元豹吐出一口烟，看着窗外说，“我想干什么？我能干什么？我什么也不想干——你们要干什么吧？”

“我们也什么都不想干。”白度说，“你自由了，誓约取消了，从今后你爱上哪儿就上哪，愿意干什么就干什么，一切全凭你的意愿。”

元豹长时间地望着白度，手里的烟在一点点燃烧，烟灰一截一截地掉下去。

他走回餐桌，在位子上坐下，把烟在烟缸里掐灭，平静地说；

“我无处可去。”

“你怎么敢对唐元豹这么说，谁给你的权利？”赵航宇拍着桌子对站在他面前的白度咆哮，“你这是赤裸裸的背叛！”

“我认为她已经丧失了一个‘全总’工作人员的立场。”刘顺明坐在一边说。

“开除，立即开除你的会籍！”赵航宇声嘶力竭地对会议桌旁的全体主任团成员喊，“有反对的吗？没有——一致通过！”

“也好。”白度平静地说，“这也免了我退会的繁琐手续。”

“你立刻给我滚，我再也不要看见你，一百年之内不要来见我！”

“一百年之后我也不想再见你，就是化成灰我也不想跟你撒在一块地里。”

白度转身离开会议室。

赵航宇破口大骂：“臭婊子，你就是化了脓化了水我也记着你！”

他颓然坐下，手捂着眼睛悲愤地说：“我怎么就瞎了眼，一直没发现这个睡在我们身边的美女蛇。她辜负了我的信任，真令我寒心，从今后我还敢对谁好……”

“赵主任，您别太难过。”刘顺明小心翼翼地说，“她走了，还有我们呢。”

“让赵老休息会儿，他受的刺激太大了。”孙国仁把赵航宇扶离会议桌，在旁边的一个长沙发上躺下，招呼过来一个小姐，让赵老枕在她的腿上，拿把扇子轻轻给赵老扇着。

“我们接着开会。”孙国仁坐到赵航宇的位置上，“继续讨论唐元豹的问题——会议临时由我主持。”

“我提出一项建议。”刘顺明说，“白度走了，唐元豹的工作仍然得继续干而且还得换个更能干更可靠的人，挽回白度造成的损失和不良影响。这是副很重的担子，人选十分关键——我认为非孙国仁不能胜任。”

“不不不，”孙国仁忙说，“我不行，干不了。”

“你就别谦虚了。”

“我不是谦虚，我在坛子胡同还有职务，无暇他顾。我建议选比我略逊一筹的刘顺明接替白度工作。他同样相当能干，又管过唐元豹。与其派个生手一切都要从头做起，不如派个熟悉唐元豹的同志。”

“不不，我不行，上次工作我就没干好。”

“……有反对的吗？没有——一致通过。”

| 第十八章 |

“元豹，收拾一下，你要搬家了。”刘顺明对元豹说。

“搬哪儿去？这儿不是挺好？”元豹慢腾腾从床上起来，收拾行李。

“换个环境。”刘顺明说，“你需要一个新的、更有利你改造的环境。”

“……”

“你将要尝试一种美妙无比的生活——你会喜欢的。”

刘顺明帮元豹拿着行李一同下楼。楼门口停着一辆汽车，刘顺明和元豹分头坐上汽车，汽车便开走了。

一所大学的校园，三三两两的男女学生在路上聊天、谈笑，看到汽车驶过，都停下来往车里看。

汽车停在一座学生宿舍楼前，走道式阳台上挂满形形色色的女式内衣和妇女用品，阳台上或趴或站着一堆堆女学生俯瞰走下汽车的元豹叽叽喳喳地议论，好奇地打量他，间或爆发出一阵阵悦耳的笑声。

“走吧，上去吧。”刘顺明夹着元豹的铺盖卷对元豹说，率先走上楼梯。

楼梯上，每个端着盆或拿着书的女生和他们擦肩而过时都愣了一下，疑惑地站住回头看他们。

他们上到最高一层，拐了弯。

阳台式通道上每个房间的门口都站着一群女生，含笑望着他们。中间一间宿舍的门口整整齐齐地站着四个穿戴大方美丽动人的女学生友好地望着元豹。

“这就是你的新住处。”刘顺明在四个女生面前停下来，对元豹说，“她们是你的新老师，将和你共同生活。认识一下吧。”

刘顺明为元豹和四位姑娘介绍：“这是周老师、吴老师、郑老师、王老师。”

元豹和四个姑娘一一握手：“唐元豹，元帅的元，豹子的豹。”

“欢迎你。”排在队尾的姑娘说，“希望你能喜欢。”

“王老师是她们的头儿。”刘顺明特别强调地说，“以后有什么不明白和不懂的地方都可以请教王老师。”

“我解释不清的。”王老师说，“可以请教其他老师。”

“只要你不客气。”另三位姑娘齐声说。

“下面宣布一下纪律啊。”进了屋，刘顺明严肃地对元豹说，“对老师们要尊敬，可以打成一片，不能打进一个。要珍惜这么好的学习机会，每个老师身上都有很多美德，要细心观察，多多留意，过些时候我就会来检查你到底学到了些什么。”

“让我们互帮互学。”王老师认真地说。

“我们学校是培养老师的最高学府，同学们一定很高兴有个实践的机会。”

学校的小礼堂里，教务处主任正在给全校的党团骨干和学生会干部开会。

“‘全总’的同志信任我们，把唐元豹送到我们这里培养，是我们学校的光荣。同学们一定要积极配合‘全总’的工作，从各方面无微不至地关心唐元豹，表现出我们的教养和志趣，从点滴着手，影响唐元豹。同学们哪，改造人的工作是艰苦的工作，要比新生一个人难得多。唐元豹是个很有才华的人，我们的工作量就尤其的大。我要特别强调地说，在这项工作中任何人不许掺杂个人感情，男同学不要吃醋，为什么他能住女生宿舍我们不行？他住是有任务的。女同学也不要想入非非，这回可有个光明正大的理由了。你那么一想，可就把‘全总’的同志坑了，咱们努力也就前功尽弃了。但凡发现类似苗头，一律勒令退学。或在档案上注明：该生不服从分配。”

“党内骨干要带头。”坐在一边的校领导插话，“要把这事当大事抓，记红黑点，最后分数记入期终考试总成绩。评‘三好’生发助学金都要参考这门功课的分数。没有红点的不能毕业，一个唐元豹都教不好，你怎么能走向社会当老师？”

“谢谢同学们的支持了。”孙国仁站起来代表“全总”表示感谢，“我们也是考虑再三，才决定请贵校请同学们帮忙。在前也有人推荐了一些单位，纱厂啦医院啦，都被我们否决了，不是太俗就是环境嘈杂不是做学问的地方。另外大家也有一个共同的感觉：现在各行各业也就是大学生爱国了。”

“你就睡这个靠窗的上铺吧。”王老师指点元豹，帮他铺床展被，“这样我们在屋里干点什么你也都看得见。”

“行啊，睡哪儿都成。”

“不不，还是各人睡各人的，别乱睡。”

“我们倒无所谓，只怕落个毁你的罪名担待不起。”郑老师说。

“我想不出你们还能怎么毁我。”元豹坐在上铺呆着脸说。

几个姑娘一时语塞，互相望着一声不吭。

“大家这是怎么啦？”还是王老师老练，打破沉默笑着说，“都别拘谨，别把元豹当外人，从今后他就是咱们的亲姐妹了，大家该洗该涮，该吃零食该说别人的闲话都照旧。”

姑娘们活跃起来，照镜子嗑瓜子，无聊地互相打闹。

学校大食堂，人头汹涌，每个打饭窗口都排着长队。

元豹夹在周吴郑王四位姑娘中拿着饭盒敲打着，朝气蓬勃地走来。

“别吃肉，你会发胖的。”王老师对元豹说，“咱们都吃豆腐，一人一份。”

元豹学着姑娘们的样儿，舔着手指头一五一十地数出几张油腻的饭票递给厨房师傅；双手端着饭盒挤出来，东张西望地找位子；在一桌姑娘中挤出个地儿坐下，撇着嘴斜着眼儿挑挑拣拣地吃；鬼鬼祟祟地交头接耳，满嘴含饭地四仰哈哈大笑，笑完坐直矜持地四下瞟瞟目中无人地一口口含着匙子吃。

繁华的大街上，四个姑娘和元豹手拉着手娉娉婷婷地走着，见到一个橱窗便停下来，指指戳戳地品论着橱窗内的商品，恋恋不舍地离开。又见到一个橱窗，又停下来……

一个穿戴入时的女子从街上走过，五个人便一起回过头羡慕地盯着看。待那女子远去便一齐换成特客观特无动于衷的嘴脸，并肩快步走着议论："那衣服穿她身上一点都不好看。"

时而见到一个模样平和近于羞怯的穿着件好衣裳的女子，五个人便一齐围上去：

"同志，您这衣裳是在哪儿买的？"

遇到街边闲着聊天的小伙子们，五个人便一齐严肃起来，挺直腰板目不斜视地从他们面前走过。其中某个会嘴皮不动地小声对同伴说："瞧左边那个。"

五个人走出一段距离才轮流回过头飞快地瞥上一眼，兴奋地大步向前走：

"什么呀？一点都不帅。"

"牛仔裤穿他身上跟套鸡腿上似的。"

百货商店里，姑娘们在光芒四射、晶莹剔透的珠宝柜台前默默地咬着嘴唇含恨一件件仔细观看，通红着脸蓬乱着鬓发眼睛水汪汪地艰难地直起腰，蹒跚着离去，既坚强又可怜，脸上无不带着沉思的神情。

在抛卖廉价衣服、鞋子的柜台前，她们又恢复了自信。疯狂地挤进去，嘶鸣着、拉拽着，根本不问价就一手交钱一手接货。同样疯狂地往外挤，一出了人群便立刻展开衣服用下巴夹着在自己身上比画着，也不顾身后拥来拥去的人群的碰撞，或窃喜或沮丧或自我安慰或没了主意。

"姑娘们，别光顾咱们买便宜货呀。"王姑娘窃喜地忽而想起元豹，"学生都丢了。"

姑娘们抬头找元豹，发现元豹一个人站在远处，在拥挤的人流中显得茫然失措，束手无策。

责任感回到了姑娘们身上，她们游刃有余地逆着人流围到元豹身边。埋怨他：

“你怎么不跟住我们？”

“我确实是尽了最大努力。”元豹说，“我已没法更像你们了，逛商场实在是一种无法一学就会的复杂技术。”

“你感受到做一个女人很不容易了吧？”

“太不容易了，当马戏团的小丑也没这么难。”

“别别，你千万别灰心。你觉得难了是因为你光体会了一个女人的辛苦还没品尝到一个女人的幸福。”“当你买到几件可心的漂亮衣服，披挂停当，往大街上那么一走，那么一站，你会油然而起一种骄傲，其乐无穷。”

王姑娘回脸同别的姑娘一样伸着脖仰着脸盯着一排挂着的五颜六色的裙子看，伸手指着其中一件对忙来忙去的售货员嚷：“师傅，给我们拿那件桃红的。”

“不不，我觉得翠绿的好看。”周姑娘说，“穿上衬得皮肤白。”

“我喜欢鹅黄的。”吴姑娘说，“鹅黄的穿上干净。”

“湖蓝的呢？”郑姑娘问，“湖蓝的穿上不是显得宁静吗？”

“你们到底要哪个色儿的？”售货员不耐烦地说，“想好了。”

“红的。”

“绿的。”

“黄的。”

“蓝的。”

“到底你们谁穿呀？”

“他。”王姑娘一指身旁元豹，“您觉得他穿哪个颜色好？”

售货员凝视元豹，又看了眼那几个姑娘，吸了口气，转身走开：

“他穿不了——没那么大号的。”

“到这儿来到这儿来。”

姑娘们领着元豹挤进化妆品柜台，欣喜地嗅着该柜台芬芳的气味儿，指着各种牌子各种用途的化妆品歪着头问元豹：“你喜欢哪种哪个香型？”然后热情地向元豹推荐自己心爱的牌子：

“西施兰怎么样？滴滴香浓。”

“奥琪好，一擦就白，一按就亮。”

“谁让你不擦红鸟？”

“随便吧。”元豹问王姑娘，“我非得用这些带味道的东西吗？”

“你见哪个女人没有味道？”

个体发廊，老板点头哈腰迎上来：“小姐们做头？”

小姐们闪开身子，露出跟在后面的元豹。

“他做。”王姑娘说。

老板仰视着元豹，眼珠子骨碌碌转了几圈，马上又恢复了热情的张罗劲儿。

“请里边坐，里边坐吧。”

元豹围着白单子坐在理发椅上，盯着面前的镜子，老板手拿梳子吹风站在一旁疑惧地小声问：

“您要什么样的？”

“我这样的。”王姑娘站在边儿上摇晃着自己的短发说，“百慧型。”

镜子里，元豹盯着自己，他刚烫的头，穿上了女式衬衣。姑娘们正用新买的化妆品七手八脚地给他化妆。

王姑娘用手挖了些洗面奶点在他的额头、鼻尖、两颊和下巴上，然后用手心涂匀。再用手挖出些粉底霜轻轻揉擦在元豹脸上。接着，用小刷子蘸着白粉一层一层刷上去，使元豹的脸变得一片惨白眉毛都淡了。

周姑娘用眉笔重新画出元豹的眉线，又细又长又黑眉梢还往上挑。周姑娘接着为元豹画眼线，让他闭上眼睛在他眼皮上一笔一笔地画。

吴姑娘用睫毛夹子用力将元豹的睫毛夹得上翘成一排，用小刷子在元豹的睫毛上涂着睫毛油。

郑姑娘用色笔在元豹鼻梁两边画上两道浅线，用手涂匀，使他的鼻梁也变得高耸、上翘。然后用笔勾勒出元豹的嘴唇轮廓，拧开一管口红小心地将元豹的嘴唇涂得饱满鲜红。

王姑娘最后又在元豹的颧骨处涂上了胭脂，这样，元豹的形象最后完成了。

那是副妖艳、骇人的嘴脸。

姑娘们看着镜子里的元豹也吓住了。

“哪儿有问题？是不是太艳了？”

“不该有问题呀，平时咱们不都是这么画的？”

“脸太白，嘴太红，眼睛太往上吊。”

姑娘们重新又拿起工具，为元豹修修补补。

元豹瞧着自己，毫无表情，接着，他慢慢咧开嘴笑了。鲜红的嘴唇犹如血盆大口，连他的牙齿都被染红了。脸上的白粉堆起来，形成一道道皱褶，簌簌往下掉渣儿。

他停止了笑，那脸变得青一块、紫一块。

第十九章

“元豹表现得怎么样？”

一辆汽车里，赵航宇醉醺醺地坐在司机旁的座位上，头也不回地问坐在后排座位上的刘顺明：

“他情绪稳定吗？”

“相当稳定。”刘顺明凑向前去对赵航宇说，“看上去相当平静，很乖很听话，唯唯诺诺。在那儿和姑娘相处得也很好，让干什么就干什么，没有任何不愉快的事情发生，真是个好青年，看来白度对他胡说八道一番一点作用都没起。”

“要注意监视，也许这是假象呢。搬去和美丽的女孩子同住，这谁都不会有异议，如果一旦知道了我们的真正用心会不会登时为之一变，大吵大闹甚至发生更坏的事情——不干了？”

“目前还很难说，但我觉得不会。元豹和白度不一样，人忠厚得多。当然这也仍需要个过程，所以我也不急于跟他明谈。先让他舒服几天，习惯了，尝到甜头了，再谈起来可能就容易得多。”

“不要太大意了，不要太相信一个人的表面行为了，这点我是有惨痛教训的。谁老实谁忠厚？表面越老实的人骨子里就越坏！我是看透了，都是假的，一切都是假的，互相演戏给对方看。对他再好也没用，都是喂不熟的白眼狼，到时候就反咬你一口。没劲……活着真没劲，有时真想大哭一场……”

赵航宇呜呜咽咽地抽泣起来。

“您别太悲观了，赵老。”刘顺明解劝道，“别太想不开了，一个白度就使您失去了生活下去的勇气，这也太不值了。”

“这些天，我常从梦里哭醒，醒来眼前一片漆黑伸手不见五指，我就问自己：我这是在哪里？一语未了，酸了鼻子，泪就又下来了。”

“不敢老哭，当心哭坏了身子。”

“不哭，我还能干吗？这些天我心里老想着一个念头：人生一世，草木一秋——质本洁来还洁去……”

“哎哟，赵老，您可不敢寻短见，多少人指着你呢。”

“唉——谁能指上谁？父母儿女都不能跟一辈子，功名利禄又岂是万年不坏的根本？宇宙都要毁灭，人生不过百年，我还是赤条条来去无牵挂吧。”

赵航宇掩面大哭。

刘顺明闻言也不禁惨然，但还是强颜欢笑地说：

“这也太消极了。咱们革命者还是得生命不息，战斗不止，人类解放的小车不倒就只管推。想想三分之二水深火热的人民，咱们不救就没人救了。”

“他是他，我是我。他水深火热与我何干？我心情悲苦无病呻吟又与他何干？从今后，我要丢开手，咱们互不相干。今朝有酒今朝醉，管它冬夏与春秋……今夜有酒今夜醉，今夜醉在秦淮河边……”

赵航宇轻轻吟唱起来，俄而，轻轻吟诵起宋词：

“此去经年……暮霭沉沉楚天阔……便有千种风情更与何人说……知否知否应是绿肥红瘦……”

车停了，赵航宇仍在吟词：“玉衾孤寒谁与共才下眉头又上心头……”

“可以请你跳个舞吗？”

“可以。”

浓妆艳抹的元豹站起来，俯视着这个比他矮半头，弱不禁风的小男子，张开双臂让他搂住自己的腰，捏住自己的手，随着他向场内舞去。

昏暗的饭堂内，无数的男女学生搂在一起一声不吭地在跳舞。女的画得像熊猫，男的眼镜反着光像刚到地球的外星人。唯有元豹，一张大白脸悬浮于人头之上，五官分外清晰像一个大号秦香莲拉扯着幼小的儿子。

“你是 CP 还是 CY？”他问那个挣扎着的舞伴。

“都不是。”

“那是哪个组织的？肯定有人派你来。”

“联合派遣。我是组织的人也不会这么惨，我只是个积极靠拢组织的人。”

小个子推车似的费力地推动着元豹，举起元豹胳膊跳着高绕过他的头顶，自己在元豹面前悠来荡去，紧张地踩着点儿一边看着道一边顶着他往前走，忙得一塌糊涂。

“你别累坏了，日子还长着呢。”

“没关系，我打小就帮家里干农活儿，什么苦都受过。”

“你会女步吗？”

"别别，您可千万别同情我，让我累死。"

"可我连猫都不虐待。"

"我这是自戕，跟您没关系。"

"想想磨房里的驴，你会好过一点儿。"

一曲终了。小个子靠在元豹手上休息了一会儿，站直向元豹道谢，噙着泪激动地向一旁走去。站在那里的教务处主任拍拍他的肩膀，说了些勉励的话，在他手里的本子上郑重地给记上个红点。

教务处主任一挥手，又一个义士悲壮地走出来，向和姑娘们坐在一起的元豹走来。

"你们成立了一支敢死队是吗？"元豹问一旁的王姑娘。

"你以为我们是什么？"王姑娘反问，"不是敢死队吗？"

"这么说，有两个支队。"

义士走近元豹，脸上堆起甜蜜的微笑。

元豹也忙堆起笑，多情地望着义士。

"可以认识一下吗？"义士不请自坐在元豹身边，"我好像在哪儿见过你？"

"我也好像在哪儿见过你。"

"你叫什么名字？"

"小姓唐，唐三彩。"

"真的？怪不得觉得你与众不同。"

"是吗？喜欢我对吗？"

"喜不自禁。"

"那就请我吃饭吧，有胆量饭后再跟我上床。"

"我就想跟你聊聊，不想动手动脚……"

"这回怎么这么乖了？平时你不这样。"

“别不知好歹。我可是仁至义尽，你要不配合那就是你的问题——你太动人了。”

“这会儿叫爹都行，完了事再见我你能撒腿就跑。”

“你怎么这么了解男人——”义士忍着气说，“我的忍耐是有限度的。”

“亲我一下。”

元豹撅起大红嘴，义士噌地站起来，大步离去。在教务主任那儿他连喊带叫地分辩，教务主任只是摇着头，遗憾地打开本，给他记了个黑点。义士咬牙攥拳绝望看天。

“来吧，我们一起跳。”

乐曲又响，王姑娘拉起元豹和其他姑娘手搭着围成一圈，打夯似的低着头随着舞曲节奏拉来晃去，紧紧连在一起。

一群男生过来，生拉硬拽把她们拆散，一个带一个地起舞。

元豹看到那个义士畏怯瑟缩进退两难的样子，主动走过去，伸开双臂让他带着自己跳。

“你不必惭愧。”

乐曲优美雄浑，几台电子合成器加入了乐队，用拟声和节拍烘托出海潮涨落的氛围，音量也增大了，似有无穷无尽的海潮涌上沙滩，沉重地叹息着，悄然退去……

饭堂已改换了格局，两块幕布搭在一端，幕布之间伸出一条长长的T型舞台。房顶四周架起的灯把强烈的灯光打在舞台上。幕布上方挂着一条横幅：“首都高校业余模特儿大赛选拔赛初赛。”

T型台三面坐满黑压压的学生和来宾。孙国仁和刘顺明也坐在里面。

在海浪的拍打声中，一个姑娘穿着泳装堂而皇之地出现在幕布之间，大模大样地向 T 型台尽头走来。每走上几步便转个圈，左右炫耀一番。待走到横台上，更是挺胸撅臀四处展示，又是叉腰又是伸臂夹裆屈膝叉腿肃立，做尽各种放浪状，一扭身走了。走一段转个圈，下死劲儿盯几眼坐在正中的评委。

走一段转个圈……直到幕布处仍恋恋不舍，长看一眼全场观众，选个最拿手最撩人的形状，板着脸走了——使观众对她的长腰扁臀刻骨铭心。

第二个出场的是王姑娘，虽然单薄点，但该有的基本都有，起码有那意思。鞋跟高点走起来有点踩泥的感觉，深一脚，浅一脚，如果宽厚点，倒也差强人意。要命的是她那一脸绝对专业的神态。冷淡、高傲，美不胜收却又屈尊俯就。一步一个脚印，从东走到西，从西走到东，走啊走，走出一腔凄恻哀婉。

郑姑娘屁颠屁颠地走出来，笑容可掬，脚下生风，说她急着下海可以，说她急着去赶公共汽车也行，说什么都不会有人起疑。

周姑娘扭扭捏捏地走出来，一脸微笑掩饰不住内心的空虚。知道的明白她转一圈就能回去，不知道的会以为她是要去喂鲨鱼。其实她没什么好怕的，别说身上还有块遮羞布，就是一丝不挂，再眼尖的观众也看不着什么。好在她还是个人，要是只鸡，卖出去也得叫顾客退回来，以为好部位被售货员贪污了。

吴姑娘就没什么好说的了，几乎是觍着脸出来的。除了她，全场观众都像犯了什么错误似的难为情地低下头，觉得时间突然变得漫长了。

吴姑娘给观众的打击还没恢复，元豹出场了。海浪的节奏也有点紊乱了，潮水涌上来，迟迟不肯退下，第二道浪无处可去，憋出了点难以形容的声响。

元豹穿着斑斓的袒背泳衣，神态自若地走着，按着要领一步一步地边走边往前送着胯。走到横台上，俯视着底下体面的先生们和女士们，挺起小腹向他们展示自己的身体。转过身来，用屁股对着他们，绷紧，让他们尽情欣赏。然后把这一切周到地轮流给其他方向的人看，转身而去。

人们鼓起掌。

元豹停下来，再次转过来，面向观众挺起小腹，微笑着，迷人地微笑着，挺了挺小腹转身而去。

“你觉得有什么异样吗？”刘顺明问孙国仁。

“看不出有什么异样。就是觉得有点碍眼,应当尽早给他割了，那就一模一样了。”

“是啊，比较而言，还是没有的舒服。”

“那玩意儿有点凶相，我不喜欢。”

“我也不喜欢。总像是含着什么威胁——尽管他脸上在笑。”

“那玩意儿使我不安，也许姓赵的说得对，没有一个可靠的。知人知面不知心，应该对唐元豹进行一次测试，了解一下他到底是怎么想的。我越来越怀疑他也许不像看上去那么简单，也许被捉弄的不是他而是我们。”

“要真觉得十分必要，我同意对他进行一次测试。”

“他一天不被我骗，我就一天睡不好觉。”

泳装表演结束，乐曲轻松起来，活泼欢快，模特儿们开始时装表演。

元豹和众姑娘戴着草帽，穿着土造的寒碜礼服、常服，一起庄重地走出来。像搜索八路的便衣特务队，走走停停，不时手扶着帽檐儿东瞧西瞅，有人边走边一件件脱衣裳单手拎着走上，一会儿又一件件穿起来。走到横台，一个个亮开大襟，露出衬里，像是兜售衣服的小贩，匆匆让你看看商标，一掩怀，颠了。

元豹手按帽顶，一手提裙一转，裙也起伏有致地飘起张开……

评委们闭上眼。

元豹闭着眼，光着膀子躺在一张雪白床上。室内很昏暗，窗户上拉着厚厚的窗帘。四周很安静，只有清晰的水龙头滴水声，一个声音轻轻地在元豹耳边数着数：

“一、二、三、四、五、六、七、八……这里已经没有打扰你的东西……除了我说话和滴水声，你什么也听不见了……你已经困倦了……你要入睡了……现在我给你数数了……随着我数数你会加重瞌睡……一……一股暖流舒服地流遍你的全身……二……你的头脑模糊不清了……三……愈来愈模糊了……四……五……你愈来愈困倦了……六……周围安静极了……七……你入睡吧，深深地入睡吧……八……九……不能克服的睡意已经完全笼罩着你了……十……你已经舒服地熟睡了……十一……除了我说话的声音你什么也听不见了……十二……你睡吧，尽情地睡吧……”

元豹呼吸均匀了，胸膛平稳地一起一伏，微微打着鼾。

身穿白大褂的刘顺明和孙国仁悄悄溜进来，催眠师耳语般地对他们说：

“睡了，可以问话了。”

刘顺明从兜里掏出一张写着问题的单子，递给催眠师。

催眠师看着单子，在元豹身边坐下。

“现在我要问你几个问题，你愿意回答我吗？”

“愿意。”元豹语调愉快地说。

“你喜欢那些花衣服吗？”

“喜欢。”

“是喜欢看见别人穿还是自己穿上也喜欢？”

“别人穿喜欢，自己穿也喜欢。”

“你像女人一样装扮、穿着站在大庭广众之下不感到别扭吗？”

“不。”

“为什么不？那并不好看，一个男人穿着女人的衣服怎么会好看？”

“那不是为了好看……”

“那为了什么？”

“好看并不重要……”

“你没有回答我的问题：不为好看为什么？”

“好看并不存在，谁也不好看，这不是个好看不好看的问题……”元豹的声音变得焦躁了，“我说不清楚，我穿女人衣服不好看可也不难看，这只不过有点特别并不连逆，我并不重视穿什么样的衣服，完全不重视。”

“你是否一直暗暗希望做一个女人？”

“不，我说不上，也许有过，但不强烈。我不认为当一个女人是件天大的好事，也不认为是件坏事，我没仔细权衡过。我不太关心我是个什么样子，无论是什么样子好与坏只能是给别人带来问题，我个人很少看到自己。”

“你对你目前作为一个男人的境遇感到满意吗？”

“我不能要求更好的境遇了。我不抱怨，一切理所应当。”

“什么理？”

“什么都是理，因而也就什么都不必讲理。”

“如果现在要你放弃你的男人身份你是否乐意？”

“我自己不动手，可以由别人代劳。我获得这个男人身份也是别人卖的力气，我是什么我没费过劲儿。”

“得来容易去也容易？”

“无所谓容易，更无所谓捍卫。没有什么可坚持的，因为没有一样儿是我自己的。”

“包括你的身体？包括你的意志？”

“包括一切，都是别人的功劳和别人的罪孽。我算什么？不就是你们眼睛里的一个活物儿，只要你们都闭上眼，我就不存在了。只有你们有反应，我才会感到自己在活着。只要你们高兴，我就会觉得自己活得特有价值。不要管我，让列宁同志先走。”

“你就没有感到痛苦和屈辱吗？换句话说，当你因为成全他人不得不牺牲自己时你真的那么义无反顾吗？一点情感波澜都不起？”

“都到不了令我忍无可忍的程度。”

“都到不了吗？”

“我的想象力已经到了极限。”

“假设真出现令你忍无可忍的局面呢——假设……我一时也实在想象不出具体的行为。”

“我将把眼闭上。”

“……你怎么会这样？如此……嗯，心里永远只有别人，没有自己。”

“说来话长。”

“让我们往前追溯，你在童年时，当你刚刚懂事时，你从来就没有显示过你的个性吗？”

“童年……”元豹的声音含糊了，“第一次……尿……泥巴……城堡……”

“用尿和泥垒的城堡是吗？在哪里？胡同里？马路边？大树下还是你们家院？”

“马路边大树下。”

“你感到了自己的渺小？”

“我感到了世界的渺小。”

“你感到绝望？”

“我感到——无所畏惧！”

沉默……

“还有什么话要问吗？”催眠师疲倦地直起腰问刘、孙。

二人愣愣地摇摇头，轻手轻脚地走出了房间。

“再过五分钟，我将把你叫醒。”催眠师轻轻对元豹说，“……你醒来后将感到特别痛快……你会感到像睡了一夜好觉一样精力旺盛……你的头脑将变得特别清醒……现在我从五数到一，等我数到一时你就会完全清醒，醒来以后你会觉得舒服极了！好，我现在数数了：五！四……你开始逐渐清醒了……看你精神爽快……肌肉变得充满弹性和力量……三！……你头脑清醒了……你开始清楚地辨别各种声音了……二！……你完全清醒了……愉快的感觉和良好的情绪完全支配了你……一！……醒来吧！注意不要打嗝、放屁、咳嗽……禁忌一切喷气现象……”

元豹睁开眼睛坐起来，鼻孔中冒出一个又大又亮的鼻涕泡。

| 第二十章 |

“你认为有什么问题吗？”

刘顺明、孙国仁并排蹲在茅坑上，挽着裤腿，手里各拿着一张撕成两半的报纸，抽着烟，边用劲边低声交谈。

“我觉得没什么理由中止对元豹的工作。”刘顺明说，“虽然我觉得唐元豹这个人思想很成问题，但还没有产生激烈的对抗情绪，这是不幸中的万幸。”

“是啊，过去我最担心的就是这点，怕他对我们怀恨在心。现在看来还好，消极是消极了点，只要没发展到反动，也许正好给了我们可乘之机。”

“他让我很感动，中国人民就是这样百折不挠绝处逢生韧性十足永远能给自己找到一个台阶也许这正是我们这个民族生生不息绵延不已自立于世界民族之林的重要原因。”

“多好的人民，我们要不干点什么真是辜负了这片得天独厚的土壤。”

“那样，先烈们的血才算是白流了呢。”

两人长吁短叹地感慨一番，又回到现实中来。孙国仁鬼鬼祟祟地对刘顺明说：

“你觉得赵航宇这个人怎么样？”

“挺好。”刘顺明警惕地看了眼孙国仁，“作为一个人是有些毛病，但作为一个领导，我们已经不能对他有更高的要求了。”

“你没觉得他最近情绪有点不对头吗？”孙国仁高深莫测地盯着刘顺明，语意暧昧地问。

“你什么意思吧，直说，咱们哥儿俩还有什么不能明说的？”

“我倒也没其他意思。按说嘛，一个人有权表示自己的情感，但作为一个领导，过多沉溺在个人感情中，实在是有点危险。对工作的影响要超出个人的范围。需要总领全局嘛，老哭哭啼啼的像什么样子？工作也不做，不是吃吃喝喝，就是吟词写字。”

“是啊，赵老是有点混同于一般老百姓。”刘顺明沉思地说。

“实际上。”孙国仁吸了口烟，“这段工作也基本上是由你主持。我看没了别人指手画脚，我们也干的挺好。”

“甚至更好。”

孙国仁笑了，意味深长地瞅了刘顺明一眼：“赵老喜欢诗词，我看就让他专心研究诗词岂不更好？”

刘顺明也笑了：“养养花喝喝粥，多活几年，那些操心劳神的事就让年轻人多干干吧。”

“我真替赵老担心。”孙国仁忠恳地说，“他再也不能受刺激了——白度的事后他老了一截。”

“这种国家的活宝死一个少一个——再也不能减少了。”

“要像抢救濒临灭绝的珍禽异兽一样重视起来，严加保护。”

“哪怕是划出一块自然保护区。”

两人哈哈笑着，用报纸草草擦了擦屁股，提上裤子站起来。

“同志好哇。怎么样？星期天都休息得好吧？”

赵航宇满面春风地提着包走进会议室，理所当然地走到会议桌顶端的位子上，一边从包里往外掏茶杯、茶叶筒和钢笔记事本一边笑呵呵地同在座的人打招呼。

“我这两天感觉好多了，读了些诗词，心胸开阔多了。自己也写了一些，一会儿念给大家听听，哈哈，献丑啦，请大家雅正。西洋参真是个好东西，我向大家推荐，都回去吃吃，吃完那感觉就是不一样，像穿了件大皮袄，十冬腊月光着膀子上街跑步硬是浑身直冒大汗。哈哈……”

赵航宇在首位上坐下，问孙国仁：“小孙哪，今天开什么会呀？这么急急忙忙地把我找来，非要我参加不可吗？”

“一会儿你就知道了。”孙国仁坐在另一端的位子上，冷冷地说。他回头找刘顺明，“人都齐了吗？到齐了咱们就开会。”

“全总”主任团的成员都在会议桌两旁就座，鸦雀无声。

“今天的会什么议题？”赵航宇含笑用手敲着桌子，温和地对孙国仁说，“我这个主持人还不知道呢。”

“今天的会由我主持。”孙国仁说，面向大家，“第一个议题，就是重新明确分工。鉴于我的职务有所变动，坛子胡同保安队司令的职务空缺，我提议由刘顺明恢复原任，现在表决……”

“刘顺明恢复原任怕不合适吧？”赵航宇慢条斯理地说，“他是被公开逮捕抓走的。”

“有反对的吗？没有——一致通过。”

孙国仁低头念着打印的文件：“下面，第二个议题，为刘顺明同志平反昭雪，恢复名誉并推倒强加在刘顺明同志头上的一切诬蔑不实之词——有反对的吗？”

孙国仁抬头看在座的人。“没有——一致通过。下面进行第三个议题，关于在‘全总’内部开展反对一切消极、有害、不求上进的资产阶级思想和行为，清除这些思想和行为的影响的运动……有反对的吗？”

“你们搞这些跟我商量过没有？”

“……没有——一致通过。”

“胡闹！”赵航宇拍了桌子，“谁授权你们搞这些运动的？这么大个事连个招呼都不打，擅自决定，你们眼里还有没有组织原则？”

“下面进行第四个议题：宣读给赵航宇同志的致敬信……”

“突然袭击，完全是突然袭击。”赵航宇气得浑身哆嗦，手不停地抖，语不成句，“对自己同志怎么能这样……诸侯起兵讨伐朝廷还要先发布檄文嘛……”

“请你安静点，听我念信。”刘顺明对赵航宇说，拿着一张纸站起来，“敬爱的赵航宇同志，我们‘全总’主任团的全体成员在这里一致向您表示尊敬和谢意。在‘全总’成立的日日夜夜里，您废寝忘食，日理万机，戎马倥偬，马不停蹄，使尽了力，操碎了心，为中国人民的解放事业贡献了毕生的精力。收拾金瓯一片，分田分地真忙；生的伟大，死的光荣；碧血已结胜利花，怒向刀丛觅小诗。关山度若飞，举杯邀明月；梦里乾坤大，醒来日月长；千里搭长棚，终须与君别；好花不常开，好景不常在；得撒手处且撒手，得饶人处且饶人；世上事终未了不了了之，落花流水春去也——换了人间。小舟从此去，江海寄余生；待到山花烂漫时，你在丛中笑……”

刘顺明念得声情并茂声泪俱下，一干人听得也是欷歔不已满腹惆怅。

赵航宇一腔怒火化为一捧辛酸，早已是哭得死去活来：

“我就不能扶上马，送一程？”

“哪儿也别去了。”孙国仁拭着泪说，“今儿就家去，好好过日子吧。”

“可是我不放心，这么大的摊子，你们能弄好吗？我老骥伏枥……”

“弄不好还弄不赖吗？怎么着也能跟您弄得差不多……送赵老回府。”

两个保安队员进来，一左一右站在赵航宇两边。

赵航宇还想再说什么，一看两个保安队员，一声不吭，乖乖站了起来，蹒跚着往外走。

会议室里的人用掌声欢送着他。

赵航宇手扶着扶手一步步往楼梯下蹭，两个保安队员跟着他。也不扶，看着他艰难下楼。

赵航宇来到楼门外，汽车也不见了，只有一个壮汉骑着自行车等着他，自行车后座铺着块包袱皮。

“您就坐‘二等’吧。”一个保安队员指着自行车说，“车费我们已经付了。”

另一个保安队员把他的破包劈头扔过去，砸在赵航宇怀里。

二人回身走了。

赵航宇抱着包仰天长叹：“既生瑜何生亮？”

学校的大阶梯教室里，元豹和姑娘们一起坐在前排，瞪着一双双无知的因而格外亮晶晶的眼睛天真无邪望着那个正在讲台上指手画脚、绘声绘色经常被自己的话逗得笑不成声的瘦高讲师。

讲师推推眼镜，低头翻翻讲义，抬起头：

“刚才所讲就算开场白，现在咱们进入正题：历史是由谁创造的？”

讲师十分得意地看着下面听讲的学生：

“哪位同学知道，请回答。”

王姑娘站起来：“群众。”

“坐下，不——对。在前边那个二尾子，你来回答。”

元豹指指自个儿：“我？”

“就是你，你是男同学还是女同学我也弄不清楚，反正我瞧你别扭。”

元豹站起来：“书创造的。”“错——误。”讲师一口予以否定，“书也是人写的嘛。”

“那就是写书的人创造的。”

“胡——扯！坐下，还有谁知道？”

“帝王将相。”

“瞎——掰，这种说法早就批倒批臭了。”讲师扫视全场，“还有谁知道？没人知道了？告诉你们吧，历史是由妇人创造的……嘿嘿。”

讲师十分满意自己的话造成的效果。

“列位想啊，先有鸡还是先有蛋？自然是先有鸡。鸡可以是鸟变的，可蛋不由鸡生下来，它是什么蛋也不能叫鸡蛋。历史就是个蛋，由女人生了的蛋！不管群众、英雄、写书的人哪个不是大姑娘养的？起码也是婊子养的。纵观中国历史，每到一个关键时刻都会有一个妇女挺身而出拨开迷雾调正船头推动历史向前发展。从殷商时代的妲己到姬周时代的褒姒，从西施到吕雉，王昭君、赵飞燕、杨玉环、武则天诸如此类，等而下之的还有赵高、高力士、魏忠贤小安子小李子等等等等原装的妇女和改装的妇女。

此辈虽然肩不能担，手不能提，但一言可以兴邦，一颦可以亡国。起了阶级敌人想起起不了的作用，干了阶级敌人想干没法干的事情。从而也使我们的历史变得跌宕有致、盛衰不定，给我们留下了无穷的慨叹、遐想和琢磨头儿，提供了历史发展的另一种模式，马上可以得天下，床上也可得天下。孙子赞曰：不战而胜，良将也。我说了：不劳而获，圣人也。同学们，女同学们，这个评价还不高吗？不要怕男人们说三道四，夫权啦大男子主义啦。他们是对你们感到畏惧，才想出这些招儿来谋求心理平衡。你瞧那公安局为什么不逮好人，专逮流氓小偷，还不就是因为怕流氓小偷祸害。所以说你们虽然身为女流，但同样可以像男人一样为所欲为。不要自卑！女人怎么啦？女人比男人更凶残……”

讲师放了一个悠扬、余音袅袅的屁，十分惭愧。

“对不起对不起，十分抱歉，太不礼貌了，请大家原谅。”

“没关系。”王姑娘代表同学们说，“上回有一个蹿了稀的我们都没在乎。”

“你难道还不明白吗？他们这是要害你。”

大阶梯教室中，人都走光了，只剩下元豹和化装成男人的白度坐在教室尽头的一排椅子上。白度十分激动又相当沉着。

“他们这一切都是有预谋、有目的的。你应该尽快设法摆脱他们，否则就晚了。”

元豹无动于衷地望着教室内一排排空空荡荡的座椅，似听非听，不置一词。

“我已经想好了，给你带了一些衣服。明天晚上，你假装上厕所，到厕所把这些衣服换上，从厕所后面的围墙翻出去，八点钟我在外面等你。”

白度从她的包里拿出一身警服。

“穿上这身衣服就没人敢盘问你。”

元豹看了看那身警服，依然毫无反应，也不伸手去接。

“你到底同意不同意？如果你觉得这个方案不稳妥，咱们也可以再想别的办法。我可以找辆警车到学校来公开把你抓走……”

“不，我不走。”元豹平淡地说，“谢谢你的好意，可我不想走。”

“你还有什么好留恋的？这地方谁拿你当人了？大家抱着各种各样的动机利用你，摧残你。把你随心所欲地捏造成各种样子。你难道就不感到愤怒和侮辱吗？你怎么能忍受得了？”

“听你的意思，人间是有块净土的喽？”

“你不这样认为吗？”

“……”

“我们可以到西山去，到解放区去……那儿天是蓝的，水是绿的，到处开满鲜花。人人有饭吃，人人有衣穿，没有压迫，没有剥削，想怎样就怎样，自由自在，天天唱着歌过日子。”

“再也不用干活了？”

“不用了。马路上到处是金子，只要你肯弯腰，随手就能捡上几盎司。”

“听着跟美国似的。”

“差不多，半斤八两，唯一不同的就是不用竞选总统。咱们谁都别管谁。”

“没人管，我还真不习惯。”

“可悲呀，可怜的中国人。”

“去你……去我自个儿的妈吧！我怎么就这么不是东西，好歹不知，烂泥糊不上墙，金坑银坑挖到我脚我都不敢闭眼往下跳。真是辜负人家的好心，真觉得对不起关心我的人，干脆，我抽自个儿俩嘴巴得啦。”

“这么说，你决定去了？”

“不去，懒得去。您就只当我是二分钱一个的鸡屁眼儿，贵贱不说。压根就不是个物儿——不值当操心我死活。”

“你太不把自己当人了……我很难过。”

“您千万别难过，我本来就不是个人。”

“我要难过，必须难过。我很理解你，对造成你今天的这种样子我也有一份责任。”

“这些话临死再说也不晚。”

“不行我要说。”

“大可不必这么自个儿跟自个儿过不去。”

“你要考虑后果。小丑不能演一辈子，正戏迟早要开场，观众最爱的还是帝王将相，才子佳人。”

“那也不过是扎了靠、挂了须的另一帮小丑。”

“甭管是什么吧，反正没你的戏了，你下了台怎么办？”

“……”

“有些东西丢了就再也找不回来了，割了就再也长不出来了，你不能因贪一时之欢舍弃终生幸福。”

“……”

“决定吧，别等刀落下来。”

“……我长它，不就是派用场的吗？”

“是一曝十寒还是细水长流？”

“……”

“生命诚可贵，某某价更高。”

第二十一章

首都体育馆，彩旗飘扬，歌声震天。工农兵学商千姿百态姹紫嫣红一万八千个娘们儿雄赳赳气昂昂地坐满看台，互相起劲儿地拉着歌呼着口号气氛热烈摩拳擦掌地等着“动员唐元豹加入妇女行列全国妇女英豪誓师献技大会”的开始。

“提篮小卖哎咳哎咳哎，拾煤渣！担水劈柴全嗯嗯嗯嗯靠她……”

东边看台唱着戏，西边看台也唱着戏，而且唱得更火暴。

“霹雳一声天地响，平原上谁不晓工农女儿赵小英……”

“摆开八仙桌……招待十六方，来的都是客，全凭嘴一张，相逢开口笑，过后不思量，人一走，茶就凉昂啊昂啊昂昂昂……”

北边的看台十分洒脱，南边的看台则相当哀婉：

“家住安源哎哎哎萍水头，三代挖煤哎哎哎做马呵呵牛……”

元豹在一个穿短裙举木牌的女孩引导下神采奕奕，两臂在肋下小角度地有力摆着走出场子。

全场响起暴风雨般的掌声和欢呼声。歌声更加嘹亮了，此伏彼起，阴差阳错。

“鸠山设宴和我交朋友，千杯万盏会应酬噢噢噢……”

“听奶奶讲革命，英勇悲壮，却原来我是风里生来雨里长昂昂……”

“专门袭击共产党，你心在哪里意在何方……”

“……回旋有余地，转战、游击，方能胜强敌……”

歌声中，一批胸部肥大的老娘们儿陆陆续续走上主席台，在各自的座位上坐下，神态冷漠地坐在那里东张西望，窃窃私议。

元豹绕场走了一圈，送了一圈飞吻，然后也上了主席台。一个老娘们儿指点给他站的地方，那是主席台下面正中的位置，元豹走到那里站好，双手垂着，低下头。

“姐妹们，”担任司仪的主持人，那个漂亮的小伙子，敲敲话筒，非常严肃地说，“大姑子大嫂们，现在我宣布：动员唐元豹加入妇女行列全国妇女英豪誓师献技大会开始——”

掌声，完全由女子组成的军乐队奏乐。

“第一个节目，全体齐唱赤色女性纵队队歌。”

主持人走到元豹旁边，把他拨拉开，自己站在那儿，双手举起，用力一挥。

“向前进向前进，战士的责任重，妇女的冤仇深。古有花木兰替父去从军，今有娘子军扛枪为人民……”

全场妇女引吭高歌，一个个唱得满头大汗，不可一世。直唱得元豹丧魂落魄，浑身筛糠。

“姐妹们，大姑子大嫂们，”歌声唱完，主持人又回到主席台，对着话筒说，“下面进行第二个节目，由各届妇女代表讲用她们当女人的心得和体会，大家鼓掌欢迎。”

一个小媳妇羞答答地从观众席走上主席台。主持人和她握了握手，拿话筒对她说：

“请问，你现在是不是心情很激动？”

“是的，我很激动，旧社会把人变成鬼，新社会把鬼变成人。”

主持人眨巴眨巴眼睛，反应了一会儿：“说得好，说到我心坎儿上去了。请问你是做什么工作的？话怎么说得这么好？”

“我是饭店里的服务员。”

“很有意思的工作。”

“是的，在工作中我学会了看人下菜碟儿，见什么人说什么话。”

“了不起，这一手要练很长时间吧？”

“不难，一学就会。”

“别缠她，让她自个儿说，用不着你在这儿帮狗吃屎。”

看台上响起妇女们不耐烦的吼声。

“对不起对不起。”主持人对喊声起处致歉，把话筒让给小媳妇，“请吧。”

小媳妇挺挺胸脯，手执话筒，咽了两口唾沫，翻了翻白眼，飞快地说：

“男人都不是个东西，说是到饭店吃饭，其实都憋着占我们便宜。我妈旧社会就是女招待，没少让男人摸呀捏的，还得赔着笑，到了还是没躲过去，让我爸给霸占了。新社会好了，我们妇女地位提高了，同是当女招待，可受气的换了。打我参加工作，我就没给过吃饭的好脸子，爱吃不吃，不吃就滚，谁也没请你来。我们饭馆的姐妹们都是硬骨头，慢说顾客动手动脚，他就是稍一皱眉，我手里这盘菜就敢扣他脸上。”

掌声。

小娘们儿十分得意：“都是人，凭什么你吃着我看着，少拿妇女不当人，姑奶奶们翻身了。积我这一二十年经验吧，我体会到，男人就是柿子拣软的捏，欺软怕硬，你对他好吧，他就跟你来劲，你变成母老虎，他就给你跪下。一个字，就得‘斗’！”

掌声。

“初开始，我发现自己是女的还挺伤心。现在不啦，经过一段时间的磨炼，我现在当女的挺过瘾，当熟了。每月工资不比男的少拿，还多那么几毛钱，一年到头男的歇咱也歇还比他们多出半天假。我知足了，拿别的什么来换我还不换。当女的多自儿啊。”

全场一片笑声，继而一片掌声。

小媳妇儿转身和主席台上老娘们儿们一一握手，拥抱贴脸，美滋滋地下台去了。

“下面该哪位了？”主持人拿起话筒往看台上找。

“我，该我了。”随着一声娇滴滴的嗲声，一个花枝招展的姑娘从一群同样花枝招展哧哧笑着的姑娘堆中站起来，一扭一扭地向主席台走来。

主持人把话筒递给姑娘。

“谢谢，我现在，此时此刻很激动。”姑娘朝主持人飞个媚眼儿，引起全场一阵笑声。主持人通红着脸，强作潇洒地问：“请问你是做什么工作的？”

“什么也不做，就靠当女人活着。”姑娘嗲兮兮地说。

全场又是一片笑声。主持人没趣地蔫头耷脑坐到一边。

姑娘白他一眼，两手捏住话筒，一手攥着瓜子一个个往嘴里扔，利索地吐着皮儿严肃地说：

“我是个自食其力的劳动妇女，我觉得很光荣，没什么丢人的。男人长期以来把我们压在底下，当做玩物儿。他们可以同时占有几个女人，还会被赞作风流倜傥。而我们呢，和一个以上的男人发生关系就成了破鞋什么的。这公平吗？身体是我们自个儿的，凭什么只许他们胡来不许我们乱搞？我就不信这个邪，就要扭一扭这种歪风邪气。国家很困难嘛，大量游资在群众手里，持币待购，一旦全部投入市场，就会造成市场极大的震荡，甚至导致经济崩溃，国家没有力量提供足够的商品把这部分货币回笼，群众的消费方向又全集中在日用品和耐用消费品上，这是我们国家长期实行的包下来的方针造成的恶果。什么都白使或只是象征性地付点钱，住房啦，医疗啦，性交啦。这种消费结构很不合理，连西方发达国家都不敢全都包下来，我们这个发展中国家倒敢！要使经济健康地发展，货币流向得到控制，就要坚决改变目前这种不合理的消费结构。减少或者取消补贴，实行按质论价，少一分不卖的政策，一切按经济规律办事，结束穷过渡。房租要改革，公费医疗要改革，性交也要改革，这是大势所趋。所以我们妇女要响应国家号召，首先在脑子里树立起商品经济的观念。什么丈夫，什么情人，统统交费，当然啦，收费也要合理，定价时要考虑到我国目前的总体工资水平，不要把人家都搞破产了。根据我的试点经验，可以搞一个最高限价和一个最低限价，根据不同对象的不同支付能力在这二者之间浮动。可以告诉大家，目前在我那个行业我是佼佼者，上缴利税最多，日人均劳动产值最高，是任何一个男人不管他是科学家还是熟练工人都不能比的。衡量一个人对社会是否有益的标准是什么？就是看她为社会增加了多少财富。在这点上我们妇女有得天独厚的条件。男同志能办到的事，我们也能办到，男同志办不到的事，我们照样能办！”

掌声，喝彩声。

姑娘变戏法似的变出个出租车上的计程表，高高举在手里，大声呼吁道：

“姐妹们，紧急动员起来，都去卖这么个计数器，绿化祖国——让男人们都戴上绿帽子。”

姑娘激动地与主席台上朝她鼓掌的老娘们儿们一一握手，倾诉着心声，幸福地祝愿着她们，脸上挂着泪。

热烈的掌声经久不息。主持人走上前来，拿起话筒，几次欲说都被如潮的掌声淹没了。他悄悄问垂头站在前面的元豹：

“哎哎，你听了这个发言有何感想。”

元豹回头看了主持人一眼：“拿出电表上偷字的本事来。”

“自己吧，从小就被人和一种名牌食品联系在一起。”

第三个发言者，一个黄皮寡瘦的妇女垂着眼皮儿喃喃地说。

“这种食品是什么呢就是狗不理包子。我是长得惨点，为此我也怨过命，很长时间很自卑，男人见了我不是吓哭了就是冲上来搏斗我心里没法是滋味儿。特别是青春期那阵儿，我几次绝望地要自杀。觉得活着没意思。大家想啊，一个女孩儿家，哪能没点自尊心，日本人好色吧？在我们县哪个村都安了炮楼唯独到了我们村口看见我就回去了。我也是人哪姐妹们谁没有理想谁没有追求你们都忙得四脚朝天，偏我闲着想拉边套都没人要黑夜怎么跳进人墙里怎么让人再给扔出来这种侮辱哪个女孩儿家受得了？几次我都吊到房梁上了快咽气时又忙不迭地跳了下来。不能死！我对自个儿说，难道女人离了男人就活不了吗？人是活的，办法是人想出来的，活人不能让尿憋死。西安去不了我们就去延安，庐山不让上我们就上井冈山。世上本来没有路，第一个人迈步就踩出一条路，总要有人搞一次史无前例，随之而来的人才会觉得习以为常。想通后我就振作起来了，坚坚强强地生活下去了。大家看，我现在活得不是很好嘛！我和另一个苦人儿一起生活，相敬相爱，互帮互学，尽管有的时候感到极大的不方便感到力不从心有劲儿使不上毕竟素什锦不如真鸡腿但我们把这些困难都一一克服了摸索出一条有中国特色的新路子新方法。我们很自豪很欣慰，没有男人我们也活过来了，活得还别有一番滋味儿。没有皮鞋我们穿草鞋，没有洋布我们穿土布，可我们要是不给你们粮食呢？”

掌声，经久不息的掌声。

“狗东西！”发言的妇女仇恨地瞅着低头站在一边的元豹，“你们的心比蝎子还毒，比地主老财还狠！没有你们就叫唤了，有了你们还挑食儿。是你们逼得我走上绝路。吃糠咽菜，过着牛马不如的生活。一九六〇年苦吧，我逃荒要饭还能搞点观音土榆树叶什么的可在你们这儿我要不自己给自己开点小灶我能让你们活活饿死——我撕了你们这些不是人操的王八蛋要不用咱谁都甭想用还我青春……”

“别别，咱们君子动口不动手，控诉可以就别上去打了。”主持人连忙抱住冲上去就要揪元豹头抓他脸的老处女，“面包会有的，奶油也会有的。”

“放开我！这会儿你抱我了？早你干吗去了？我晚上赶着找人抱的时候你躲到哪儿去了？”

“放开她。”一个老娘们儿严肃地对主持人说，“妇女们的革命行动你不要阻拦。”

“你看他这劲儿，我怕她把人打死。”主持人松开老处女，不放心地说，“咱们这会不是还是以挽救为主吗？”

“谁残酷？”老娘们儿义正词严地说，“几千年来妇女们的鲜血流成了河……”

“他是什么东西！我们妇女的会为什么让他主持？”老处女指着主持人冲大家嚷，“他也是个男的，应该站在批斗台上才对。”

“站上去！站上去！”一万八千个娘们儿发出惊天动地的吼声，“他神情不阴又不阳，刁德一搞的什么鬼——花——样！”妇女们齐声喝唱。

“女将们，革命的妇女们。”主持人可怜巴巴地解释，“我是和你们站在一起的，我也苦大仇深，我……我现在宣布我是中性……”

“革命的站出来，不革命滚下去！打打打！滚滚滚——”妇女们齐声有节奏地嘘着主持人，接着又唱，“照我妈妈打豺狼，打不尽豺狼——决不下战嗯嗯嗯场……”

“饶了我吧。”主持人央求老娘们儿，“我从来都没欺负过妇女，总是见一个爱一个。”

“你没听见革命妇女的要求吗？”老娘们儿冷冷地说，“主动点，别等我们动手拖你。”

“上去吧你——”老处女用力一推主持人。

主持人踉踉跄跄跑到元豹身边站住，绝望地四处看看，四面看台的妇女都一手搂腰一手指着他们蓬散着头发冷笑着齐唱：

“你有理咦咦敢当百姓们讲，纵然把我千刀万剐也无妨。沙家浜总有一天要解放，且看你们这些汉奸走狗卖国贼——好噢噢下呵呵场！”

主持人悲观地低下头，嘟哝着：“这他妈是哪儿来的一帮戏子。”

“你有什么理想讲吗？”接替主持的老娘们儿伸着话筒对主持人说。

“不不，没理可讲。”主持人吓得连连摇手，“今儿我认栽。”

老娘们儿轻蔑地看了眼主持人，一甩短发，仰起容光焕发的脸对全场说：“姐妹们，我们今天的革命行动大长妇女的威风，大灭了一小撮男人的志气！干得好！大快人心。我们就是把这第四座大山打倒在地，再踏上一万只脚，叫他们永世不得翻身！”

一个膀大腰圆的娘们儿跳上主席台，拿起话筒说：

“我的话很简单，前面的几位姐儿们已经把我们心里要说的都说了。我认为我们对唐元豹已经做到仁至义尽了。道理都跟他讲了，出路也给他指出来了，现在就看他肯不肯觉悟，肯不肯向自己的过去告别，回到一贯正确的路线上来。我代表全体妇女拭目以待。”

看台上的所有妇女都擦了下眼睛，瞪圆。

“我们等着你。”大块头娘们儿手拿话筒微笑地说。

元豹慢慢地抬起头，视线所及均是一片殷切期待和热情鼓励的目光。

元豹慢慢走到主席台上，从大块头娘们儿手里接过话筒，嘴唇嚅动着，半天说不出话。他望着四面八方密密麻麻的老少娘们儿，十分激动：

“姐妹们对我这么好，这么关心，我真是受之有愧呀。”

看台上所有妇女一齐长吁了一口气，像打了声雷。

一个妇女嚷嚷道：“这还不算好呢。我们疼人的招儿多了。”

“晓得。”元豹点头说，“就这点儿我已经受之不尽了。多大的关怀，多大的温暖，我要是不下决心变个女的——还真对不起你们。”

掌声，暴风雨般的掌声。

“成功了，成功了。”一万八千个娘们儿激动得眼含热泪，互相握手祝贺，翘望着元豹，“我们终于有了自己的原子弹。”

“你可不能剩我一人在这儿。”主持人弯着腰回过头对元豹，“我非被他们一人一口嚼吧了。”

元豹看了主持人一眼，挥手止住全场的欢腾，对大家说：

“我是弃暗投明了，但这儿还有一个顽固不化的。”他指指主持人，“咱们是不是再重点帮助帮助他转变一下。”

“绞死他，绞死他。”全场的妇女发了疯似的举着拳狂吼狂喊，歇斯底里地大笑。

主持人昏倒在地上。

“杀死他！现在就杀死他！把他碎尸万段，装上火箭发射到太空去！”

妇女们又怒吼了，群情激愤，不可遏制。有几个动作敏捷的，已经冲了上来，揪起主持人左右开弓地扇起他耳光。

“停一停，姐妹们，慢点动手。”主持的老娘们儿拉开围殴的妇女们，“这么处理他，太便宜了。他不是瞧不起妇女吗，咱们就让他尝尝妇女的厉害——把他扔进狮虎山。”

“咿——”妇女们欢呼起来。

几个妇女抬起主持人往台下走。主持人躺在妇女们硬邦邦的肩膀上，回头笑着对主持娘们儿说：

“你得保证狮虎山里老虎都是母虎。”

“放心吧。”主持老娘们儿咬牙切齿地说，“会让你死得公平的。”

主持人被扔进体育馆的球场中央。四面看台的门都关闭了。有工作人员上来扔给主持人一块红布，然后急忙退出。主持人捡起红布茫然不知所措，把红布披在自己身上，冲看台上傻笑。这时一扇门打开了，一个狂怒的妇女低着头箭一般地向主持人冲来。四周看台响起山呼海啸般的欢呼。妇女们从座位上站起来，喊着挥舞着手臂。

在那个妇女冲到主持人身边的一刹那，主持人纯粹是条件反射式地将红布一挡一抖自己侧身一闪，那妇女“呼”的一下从他身旁冲过，没顶着他。

主持人还没来得及庆幸，那妇女在远处又转了回来，闷着头一声不响地再次向主持人凶猛地冲来。

主持人两手拎着红布，当那妇女再次冲到近前时，又是一抖一闪使那妇女步入歧途冲向一边去。

看台上沸腾到顶点，一万八千个娘们儿的吼声几乎都要把体育馆的房顶震塌。

只见红色发怒的妇女一次次冲向主持人，毫不停顿，永不疲劳。主持人渐渐支持不住了反应也慢了，闪身也不灵活了，几次被那妇女擦着边儿，衣服扯了几个大口子，里面的身体也被剐得血肉模糊。

终于，当该妇女又一次向他冲来时，他没躲过去，被那妇女顶翻，挑在头上挣扎了片刻高高地甩了出去，摔在栏杆上耷拉着头一动不动了。

“咿——”全场的妇女惊叹了一声，既而狂热地鼓起掌。

第二十二章

"刀子……剪……钳子……和镊子……"

无影灯下，一群白衣白帽戴着大白口罩的医生正在有条不紊地进行手术……

手术室的门打开了，一架推床被护士从里面拉出来。床上铺着雪白的床单，元豹闭着眼静静地躺在床单下面。

他的脸苍白、安详、光洁平滑。

推床沿着走廊向远处推去，轻快地滑行，轱辘滚动在地板上一点声响也没有。

刘顺明、孙国仁、周吴郑王四位姑娘和妇女界的头领们站在走廊尽头等着推床的到来。

推床到了他们面前，他们凝视着躺在床上的元豹。

"手术进行得怎么样？"孙国仁问护士。

"十分成功。"护士对孙国仁说，"你们就放心吧。"

"他多少天能下床活动？"

"很快。"护士推着床往病房走去，回过头说，"他割掉的是累赘不对吗？”

“对对。”孙国仁说，“这样我就松口气了。”

“你本来就没必要紧张。”刘顺明说，“这只不过是一次普通手术，他又不是第一个做这种手术的。”

孙国仁转身和妇女们一一握手：“感谢大家的支持和帮助，没有你们的帮助，我们的工作是不会这么顺利的。”

“不要客气。”为首的老娘们儿说，“培育社会主义新人是我们共同的责任，义不容辞，毋庸言谢。”

“唐元豹出院后，还能和我们住在一起吗？”郑姑娘问。

“恐怕不能了。”孙国仁堆着笑说，“小姐们的任务也完成了。努力学习吧，等你们毕业后走上社会，会有很多可造之才落到你们手里。”

王姑娘说：“我们会想唐元豹的，他还有更重要的事情要做，代表我们妇女参加比赛。那可是大事，比和我们住在一起要重要得多的大事对吧？”王姑娘纯洁信赖地望着孙国仁。

“是的。”孙国仁说，“他稍事休整，就要奔赴疆场。”

“我们衷心祝他旗开得胜，马到成功。”王姑娘代表同伴们表态。

“怎么会不呢？天下再也找不出第二个他这样精心栽培的了。”

“也就是在咱们中国，有这样优越的条件。”刘顺明补充说。

“请问，你现在感觉怎么样？”

病房里，元豹坐在床上，四周堆满鲜花，正在接受记者的采访。

“手术后，有没有什么不适的感觉？”

“没有，感觉非常好，非常轻松。”元豹眼睛朝上望着，形容着自己的感受，“好比背着一个大箱子走了几百里路，突然扔掉了，尽管箱子里是金银珠宝，但还是感到由衷的轻松。虽然蒙受了一些损失，但总不至于因此累死了，同时也可以更快地赶赶路了。”

“请问，你扔掉了这个箱子……”一个戴眼镜的记者话刚说一半，就引起了屋内所有人的哄笑。

这位记者有点不好意思，推推眼镜，改变了一下措辞说：

“请问，你同意接受这种手术时心里怎么想的？难道就没有一点……嗯，譬如说……犹豫吗？要知道这是个……嗯，怎么说呢……很重大的决定。”

“犹豫当然有，但我克服了。一想到祖国重托，人民的期盼，我脑子里就没个人的地方了。再说，好钢用在刀刃上，好酒用在国宴上。我唐元豹的下水本是捂臭了也端不上桌的玩意儿如今派了这么大的用场让全国人民松了口气既是我的光荣它也不冤战马阵前死壮士刀下亡青山处处埋忠骨何必马革裹尸还至今思项羽做千秋鬼雄死不还家……”

“打住吧打住吧，我们很明白你的意思了。”

“是吗，看来我把你们估计低了。”

“你最好别把我们当白痴，在上光打蜡这个专业方面我们的段位都不比你低。”

元豹嘿嘿地笑：“那就说点实在的吧，你们真觉得我做出这个决定很重大吗？你们真觉得那玩意儿特别有用？”

“从常理上看应该是这样吧？居家旅行，人人必备，解头疼解心烦解馋解懒解腰酸……”

“看来你们真是物尽其用。但对我来说做出这个决定很容易，就像决定割个盲肠割个扁桃体……”元豹压低声音微笑着神秘地说：“——因为我根本就没有个人生活。”

记者们恍然大悟，接着纷纷低头在小本上记下元豹的这句话。

“就是说，你始终一贯是枕戈待旦？”一个记者看着自己的小本问，“始终在海峡两岸实行‘三不’？”

“我们没想到你会这么惨。”一个记者诚恳地说。

“你们也别装作历尽坎坷的样子。”元豹笑着说。

“你对妇女们有什么期望？”一个女记者问，“在你加入我们的行列后。”

“我很钦佩她们，希望她们保持光荣。她们是一支很年轻的队伍，尽管起步晚，但晚有晚的好处，可以更多地借鉴，少走些弯路，万不可在汲取男人精华时把他们的糟粕也一样吸收。”

“听说你参加了一次检阅妇女力量的大会，那场面是不是给你留下了深刻印象？”

“是的，她们气吞山河，所向披靡，异乎寻常的凶猛。”

“那是不是促使你最后下定决心的一个重要因素呢？”

“哈咿，”元豹庄重地说，“我总是爱和强者站在一起。”

“谢谢你接受采访。最后，你还想对我们的读者和观众说点什么？”

元豹坐正，清清嗓子，对着几支伸过来的话筒仿佛真对着全国人民似的说：

“别为我难过。我现在生活得很好，领导和同志们都很关心我，一点也不歧视我。我每天参加劳动，边劳动边改造，每周二、四有肉吃，十天半个月还能看上场电影。我正在写书，在书中反省我前半生。将来我还打算演电影灌磁带‘悔恨的泪’我这一辈子害了多少人可人家谁都不记我的仇照样拿我当自己人既然都这么善良我也就别客气了苦了我一个幸福你们大家伙……得得，我就说到这儿吧，说多了又乱了。”

“你还有什么话要说吗？”

“多余的话倒没有，就是对你说我叛国我不服。”唐老头儿迷迷糊糊闭着眼睛唠唠叨叨地说，“我跟你们汉人不是一个国，我是大清国的人，我们那国早亡了，想叛也叛不成了，我是侨民，最多是敌国间谍，轮不到叛国罪。”

“你这就是多余的话，你是中国公民。”

“可我那事都是在大清国时办的，民国之后我一直老实巴交的。”

“看来你仍然对你的问题一点认识都没有。”

“我怎么没认识，我当然有认识。我当时就不该起事，这也是王爷害的我。大清国是肯定要完，完在谁手里不一样？宁赠友邦不与家奴。您瞧人香港，再瞧人澳门，人那亡国奴当的？看来不学会历史地看问题真是要吃苦头。历史的机会真是转瞬即逝啊。老太太到死都是处女，抗日！抗日！要不现在咱们手里使的也都是日元啦，硬通货，全国外汇，对虾呀猪鬃呀也可以留着自己吃自己刷了。现在可好，你满世界磕头下跪请人来侵略也没人来侵略了。都明白了，侵略你干吗呀？那不是挨坑吗？”

“你这些话都是要记录在案的。中国人民宁折不弯，宁肯站着死，绝不跪着生！”

“得啦，就跟你们没留过辫子似的，当时哭着喊着不干，后来怎么着了？剪辫子的时候还难了。你们汉人那点德性我不知道？假装特有骨气，假装是死要面子活受罪的倔脾气，其实呢？罪是想不受也不成，脸是压根没几个要的。”

“那就反动吧，今儿我让你反动个痛快。”

“我们满族也是不幸的，怎么不挨着美国偏挨着你们？倒是把你们灭了没费什么劲，便宜没好货，真让天下所有帝国主义寒心！”

“你还有什么要说的？都说出来。”

“你们没什么自首书让我签吗？”

“没有！”审判员大怒，拍案而起，“你休想逃过人民的惩罚！”

“我乐意登报声明，自新悔过。”

“我绝不给你这机会，偏要把你一棍子打死。”

“我承认错误还不行吗？戴罪立功，反戈一击，咬出几个黑后台。你们瞅谁别扭，我就跑去肩并肩和他挽起手，告是他指使的。领头发难，揭发、控诉，上挂下勾内引外连贴标语造谣言我全拿手如果这还不让我还能歌功颂德指鹿为马瞪着眼睛说瞎话闭着眼睛摸自个儿‘四人帮’也别想难住我你们说怎么干吧这回我全听你们的当靶子我是好靶子当打手我是好打手右派凑不齐我也算一个反正我是交给你们了你们看哪儿缺哪儿少你们就把我塞哪儿插哪儿我一概没意见！”

“我们现在缺一个对轰轰烈烈的义和团运动失败负责的人。”

第二十三章

“演出快开始了，记住台词了？”

舞台后台，唐元豹正在活动腰腿，轮流把腿搭在暖器片上压着，抖抖两个手腕子，双手叉腰摇晃着脖子，掰压着每个手指的关节，关节“啪啪”响着。

刘顺明正在叮嘱他：

“今天可是正式演出，观众都等着看你发扬光大后的新拳，你可千万不能出岔子。”

“您就擎好儿吧，没错。”

“我想也不该有错，大梦拳经过这番整理挖掘，不成天下第一拳我都不知道该叫它什么了。”

元豹跑了几步，跳起来，在空中做了个优美的劈叉动作接前滚翻落地立起丁字步收势拧脸问刘顺明：

“动作还连贯吧？”

“好好，十分舒服。不过……”刘顺明走上去瞅瞅元豹的体操服，“这行头不如打赤膊灯笼裤有民族特色看着精神。”

“人家现在光膀子出去，”元豹娇笑着，“不是不合适了吗？”

“噢，对对。”刘顺明仰天笑笑，“我全忘了，行，你就这样吧，透着也有点国际标准的感觉。”

主持人，那个大难不死的漂亮小伙子走进后台，对刘顺明说：

“时间到了，是不是这就开始？”

“开始开始。”刘顺明拔腿往外走。

“孙子，我跟你没完。”主持人临走时低声给元豹撂下一句。

“别那么狭隘。”元豹笑着说，“你那是一阵子我这可是一辈子。”

前台，幕布徐徐拉开，凝重的音乐像催眠似的从舞台上向整个剧场漫延、扩散开来。

台下，股东们和坛子胡同的居民们包括元豹妈元凤都睁圆眼睛盯着台上。电风扇在他们头上一圈一圈地转，长长叶片像细薄的刀片一刀一刀地削着。

“我的家在东北松花江上，那里有森林煤矿，还有那满山遍野的大豆高粱……”

歌声中，孙国仁踱着步子沉思着边唱边从幕侧走出来，面向观众，痛苦而又绝望，伸着双手拽着：

“揪尾巴，揪尾巴，在那个悲惨的时候……”

孙国仁哭得唱不下去了，抬起泪汪汪的眼睛，念道：

“同胞们，谁没有自己的父母？谁没有妻室儿女？谁甘愿忍受敌人的欺凌……请听一个妇女悲惨的歌声。”

“风啊，你不要叫喊，云啊，你不要躲闪。”刘顺明披头散发胸前衣裳撕着走上台，“黄河的水呀……宝贝啊，你死得这样惨……”

刘顺明做晕厥状，孙国仁将他一把搀住，灯光转暗，二人相持成一悲怆主题的塑像。音乐感天动地，催人心碎。

主持人淡出："但是，中国人民是吓不倒的；就在这叫天天不应，叫地地不理的时候，一个新的曙光出现在地中海蔚蓝海面上。他是躁动在母腹中的一个婴儿；他是干涸已久的土地上响起的第一起春雷……你听，你听……"

主持人做侧耳谛听状。

"说的比唱的好听。"元豹妈妈对元凤评论道。

"风在吼，马在叫，黄河在咆哮，黄河在咆哮，河东河北高粱熟了，河南河西庄稼收了，漫山遍野抗日英雄真不少……"

舞台灯光大亮，在孙、刘的男声齐唱伴奏下，元豹做骑马状奔上舞台，驰骋着。

掌声雷动，孙国仁和刘顺明哭脸变笑脸，在主持人的相让下，手拉着手像魔术师一样走到台前，对鼓掌的观众连连鞠躬。各自手里拿起一个话筒站到一边。

"今天，你给大家表演个什么节目呀？"孙国仁问刘顺明。

"今天我给大家表演一段'大梦拳'。"

"这大梦拳我听说过呀，说的是义和团好汉烧洋楼。"孙国仁冲观众眨巴着眼睛打量着刘顺明，"你？你会吗？"

"会呀，实话告诉你，那大梦拳就是我做梦梦出来的，我不会谁会？"

"就你还玩拳？"孙国仁拧着刘顺明下巴转给观众看，"这小窄脸还没脚丫子宽呢，拳玩你吧。"

观众捋着他们，面无表情。

两人捋胳膊挽袖子："来来？"

"来来就来来。"

刘顺明一通蹬胳膊踢腿，东游西逛。

“您这叫大梦拳？”孙国仁说，“大梦游差不多吧？”

刘顺明收势觍着脸嘿嘿笑：“我这不叫大梦拳，真正的大梦拳您还得看他。”

他闪身让开，介绍元豹，元豹仍在马不停蹄地溜达。

二人等了会儿掌声，纹丝没有，只听观众里有人嚷嚷：“这俩真他妈多余。”便含笑鞠躬退下了。

“下面请看真正大梦拳表演。”主持人说，“表演者唐元豹。”

唐元豹冲到台前，脆声念：“奴家今年二十七呀二十七！”

回头跑到台中央丁字步站好，胸脯起伏着抿嘴眯眼调整呼吸。

“这是我哥吗？”元凤大惊失色地问她妈，“刚才转了半天腰子我还以为是个唱戏的娘们儿。”

“这帮孙子给我儿子做了手脚。”元豹妈沉着脸说，“我就知道元豹落他们手里要坏事。”

音乐声起，元豹紧跑几步一个虎跳。在空中打开身体，两腿成大一字，一手在前一手举起，落地接前空翻前滚翻卧鱼儿倒立乌龙绞柱托马斯全旋倒立鲤鱼打挺接掀身探海旋子弹手翻侧空翻倒踢紫金冠落地挥鞭转三十二圈……

“大梦拳是我国民间宝库中的一颗明珠。”元豹舞时，主持人站在一边手执话筒介绍，“它的特点是刚劲有力变化多端，最令人叫绝的是它可以不费吹灰之力，因势利导，借刀杀人。就是说当表演者和对手格斗时，表演者可以不使一点力气，只是在对方发力时巧妙地将对方的力气反作用到对方身上。对方发出二百斤力气二百斤一袋的大米就砸他身上，对方发出一千斤力气一千斤一个的铁狮子就闷他脑门上，反抗越凶，失败越惨。这在物理上叫‘变压器效应’，在俗话上叫‘搬起石头砸自己的脚’。任你风吹浪打，我自岿然不动。要不说中国人聪明呢，这损招儿希特勒也想不出来。”

元豹金鸡独立，手臂做海浪波动状，接着一个仙人指路接老树盘根，盘腿跳接满地滚捂笼抓鸡后门别棍苏秦背剑老头推车凌空啄羽商女品箫大撒把舔盘子倒插蜡杆儿上飞大抽大拉四百下……

“现在大家看到的大梦拳是经过专家们加工提炼的。”主持人接着说，“其中糅合了芭蕾、体操、杂耍、床上运动和现代舞。这就使过去老和尚打坐和尚发呆式的拳路变得复杂、好看了，更富于表演性、观赏性刚中有柔硬中有软疲而不举举而不坚坚而不挺挺而不久久而不泄—— 一点不损失原功效。”

主持人转身对幕后：“现在请拿一盆水来，我们示范给大家看。”

刘顺明端出一盆水，主持人就手洗了把脸，水淋淋地对观众说：

“这可是真水，你们要不信我可以先泼一盆下去。”

“我们信我们信。”前排观众说，“你们就说要干吗吧。”

“我要把这盆水全泼唐元豹身上！”主持人一手端盆一手指着自己的鼻子说：“他要是身上沾上一点——我是孙子。”

主持人双手端盆：“留神，都瞧着点啊；”

唐元豹踮着脚尖两臂前伸两手做开合状正美得不行以为自己是个天鹅。

主持人一盆水泼上去，一点没糟践——元豹垂头丧气地站着，眨巴着眼睛，头发湿漉漉地贴在脑门上，滴滴答答往下淌着水，唐老鸭似的。

观众大哄。

孙国仁也从幕后跑出来："怎么回事怎么回事？"

孙、刘紧急磋商了一下，由主持人对观众宣布：

"刚才是演员失误，现在再泼一盆。"

刘顺明飞跑进后台，又端一盆水，递给主持人。

"跳起来跳起来！"孙国仁焦急地冲元豹喊。

元豹耷拉着眼皮儿，又踮起脚尖挪移起碎步。一盆水泼上去，又原地不动了，任水从身上小河似的淌下去。

"再拿一盆水。"孙国仁暴躁地喊。

一盆盆水往元豹身上泼去，元豹湿得透透的，冻得直打哆嗦。

"孙子？你们浇花儿呢还是洗澡呢？"台下一个观众站起来提着裤腿嚷嚷，"我们这儿都快和泥了。"

"今儿是不行了。"元豹抱着膀子牙齿打着战说，"你们就是把我淹死，我也溅不出水花儿来了。"

"回头再跟你算账！"孙国仁狠狠剜元豹一眼咬牙切齿地说。转过身对观众赔着笑，"十分抱歉，十分对不起，今儿天热，身上黏糊，演员吸水。改日，改日一定请大家看不吸水的。"

"对不起对不起。"刘顺明也站在台前跟大家点头哈腰赔不是，"大家受窝囊，我们哥俩儿再给大家来段相声，学段儿狗叫：汪！汪汪……"

"慢！"只听观众席上一声断喝。

众人的目光一齐向后看去。

只看元豹妈刷地站起，接着，呼啦啦站起一大片，全是坛子胡同的男女老少，一个个横眉冷对。

元豹妈领着大伙儿大步向舞台走来，到了台下，"噌"的一个旱地拔葱跳上台子。元凤、黑子、李大妈、王二婶老老少少全体都来了个旱地拔葱齐刷刷地跳上台。

孙国仁、刘顺明、主持人立刻陷入了群众的包围。

“你们这是干吗？”孙国仁强作镇静，“有话好说嘛。别一齐上台，派个代表团……”

“少废话！”老太太一把攥住孙国仁的手腕子，“我问你，你们对我儿子干什么了？弄得他男不男，女不女，打出那拳来也瞅着那么眼生不像我们家祖传的倒像赛金花家祖传的你们给他练的都是什么窑子功！”

“妈！”元凤气急败坏地挤进人群，“我哥让他们给骗了。”

“什么？”老太太双目圆睁，揪住元凤，“你再说一遍！”

“妈！”元凤哭着跪下，“女儿不敢撒谎，我哥真是让他们把枪缴了。”

“老太太老太太，您可千万别动蛮，听我解释。”孙国仁一边后退着，一边用手挡着步步逼近的元豹妈，“要奋斗就会有牺牲，毛主席他老人家为革命献出六个亲人……”

“你骗了我们一个！”老太太一字一顿地说，“我骗了你们全体！”

“救命！”

孙国仁转身就跑，被老太太一个扫堂腿绊倒，横飞出去。

“不许胡闹！”刘顺明在人群挥舞胳膊爹着膀嚷，“你们要负法律责任！”

“去你妈的吧！”黑子伸出大掌在刘顺明天灵盖上用力一拍，只听“喀嚓”一声，刘顺明像截木桩似的被夯进地板里。

主持人被几个老太太揪住，下死劲儿在他身上拧、揪、掐：“让你坏，让你说人话不办人事。”

“我是孙子还不成吗？”主持人苦苦哀求，“我是被蒙蔽的，年轻、单纯让人当枪使了。”

保安队员们从后台冲了出来和居民们展开搏斗。

股东们观众们抱头鼠窜。

满台桌椅横飞、拳脚交加。

后台，元豹在一间化妆室里，充耳不闻前台鼎沸的打斗、叫骂声。在地上摆了两张凳子，搭上一根竹竿，用手压了压竹竿试试它的韧性，打着哈欠伸了个大大的懒腰，躺到竹竿上蜷着身子睡着了。

他的睡相十分安详，呼吸均匀。

第二十四章

鼻青脸肿、衣衫褴褛的保安队员们吵吵嚷嚷、互相骂着磕磕绊绊地在街上走。孙国仁、刘顺明、主持人也夹在这个行列中悲壮地走，鞋子都被后边紧跟的人踩掉了，趿拉着，不时用手拭去鼻血、牙血、伤口渗出的淋巴液什么的。

坛子胡同的居民们押着他们，手执木棍前后逡巡着，像电影里押解国民党俘虏的解放军战士又像赶着骆驼队进城的牧民也像暴动起义的乱民驱赶着被他们逮着的旧政府官员和贵族。

“拍电影呢。”过路的行人纷纷站住，自动地围成人墙保护他们顺利通过。不少人还纷纷翘首往后张望，找隐藏的摄影机。

“拍的什么片子？”有好事者大声问押送的坛子胡同的居民。

坛子胡同的居民都不吭声，只是催促着俘虏快走。

这帮路人就自个儿琢磨、揣测。

“准是游击战的。您瞧逮的这串伪军，您再瞧这帮押送的，没一个老八路。”

“老八路都打鬼子去了，剩下这帮伪军就归民兵收拾了。”

“喂！”有人冲领头的元豹妈喊，“别吃铁丝尿笊篱——瞎逼编嘞！就你们这揍性打得过谁呀！”

“还抗日哪！写点四化改革好不好！”

“操你妈操你妈操你们文艺界全体的妈！”有个不知憋的什么邪火儿的小子在人圈中跳着脚地骂，“怎么不他妈再搞‘文化大革命’！”

前面出现一座辉煌仿雅典仿俄仿古代宫殿的巨型楼房，仿监狱仿博物馆仿陵墓的大门旁站着两个仿笔杆仿蜡像仿铁狮子的卫兵，手里拿着仿铜戟仿权杖仿烧火棍儿的枪。

元豹妈牵着这一长串糖葫芦羊肉串上了仿云梯仿搓板仿山坡的台阶。

一个穿着身仿中山装仿西装仿军服衣裳的仿太监仿衙役仿门神的人挡住了他们的去路：

“你们要干什么？”

“给你们送人来了。”

“什么人？”这主儿打量那一串玩意儿，“走错门了，废品收购站在隔壁。”

“你们的人。国家一类保护动物，有行没市，严禁捕杀，废品收购站一概不收。”

“我们的人？不对吧？我怎么不认得他们？”

“这不奇怪，乍看上去，每只羊和每只羊没什么区别。”

“可同一群里都有戳记，你检查他们的臀部了吗？”

“检查了，都有一块火筷子烫的红疤。”

“怪了，让我闻闻他们的味儿。”门神到那串蚱蜢上挨个嗅，抽搐着鼻子，“味儿不对呀？我们这窝的都是烟袋油子的味儿。他们身上怎么冒出羊膻味儿了？”

“你们受骗了。”

在楼内的一间巨大的仿碉堡仿餐厅仿练功房的办公室里，一个坐在仿台球桌仿床板仿肉案子的巨大办公桌后面的仿元帅仿塑像仿圣诞老人的巨大的胖子和气地说。

“盲目、轻信的人们啊，为什么不学会用自己的脑子想问题呢？这些骗子轻而易举地就蒙哄了你们，利用了你们的信赖和忠诚，利用了我们的威信和声望。其实你们只要仔细观察一下，稍微比较一下，就会发现他们和我们是多么的不同。不要因为他们和我们同样的肥胖同样的背头锃亮同样的衣冠楚楚同样的说话带有嗯嗯呃呃的口音就把他们误认为是我们。真的假不了，假的也真不了，往往越是假的就越说自己是真的越是精神病就越不承认是精神病越是伟大的人就越爱喊人民万岁。”

胖子站起来，费力地绕过办公桌走到前面来，为了使他能站得开，屋里一半人都贴在了墙上。

胖子走到孙国仁面前，冷漠地盯着他，孙国仁惭愧地低下头。

“哼——”胖子从粗大的鼻孔中哼了一声，“我们的声誉、同人民群众的关系就是被你们这些蛀虫败坏了。”

胖子回办公桌，拿起一只巨大的烟斗，一边往里塞着烟丝一边威严地说：

“明白了吧，同志们。这些人的所作所为和我们一点关系都没有，既不是我们的人又不是受我们的委派。应该说这是一群冒牌货，你们揭露了他们制止了他们是十分正确的，应该予以表扬。”

“我们要求惩办他们。”元豹妈说。

大胖子一边用手压实着烟斗一边在屋里踱着沉重的步子，皱着眉头，沉思着：“原谅……还是不原谅？”

大胖子自言自语，久久踱着拿不定主意，最后说：“原谅！”

“为什么？为什么？”坛子胡同的居民们十分不解，同时也有些不满，“我们对土匪恶霸国民党特务都镇压了。”

“为了团结起来，共同向前看。”大胖子沉着说，从一个巨大的火柴盒中拿出一把火柴擦着，像纵火似的点着自己的大烟斗，烟斗里冒出滚滚的烟，“人头不是韭菜，割了就长不出来了，将来再要平反昭雪也晚了。不管性质多么严重，我们仍要坚持一个不杀，大部不抓。留着也好，留着做个反面榜样，一有需要，就揪出来，不至于国家困难需要树敌时找不着敌手。一个人视死如归很容易，但要抗拒改造却很困难，也最痛苦。我们就来改造改造他们吧，让他们重投一回胎重做一回人，这才是消灭对手的最好办法。不是都说可杀不可辱吗？我们偏辱不杀，让他们站着比死还难受，让他们一点点将自己亲手杀死。”

“您说得固然好。”元豹妈说，“可我们老百姓就喜欢看杀头。您无论如何得满足我们一下，权当我们是猴，他们是鸡。”

“杀头是不能考虑的。你们解了气，我担了刽子手的名声。这样吧，如果你们坚持，我们就挑一个出头鸟，大张旗鼓打一下。把所有的新账旧账都记在他身上，让他背负起罪恶的包袱，我们轻装前进。”

“打我！打我！”

孙、刘、主持人、保安队员们闻言争着出头。

“我是‘全总’负责人，出头鸟自然应该是我。”

“我是抓具体的，所有坏主意都是我出的，不打我不公平。”

“我是他们的头脸，抹黑就得抹脸上。”

“打吧打吧。”大家兴奋地互相拥抱，“一打屁股，我们就名扬全球了。”

“老实点！”黑子呵斥他们，“他妈的一个个的不要脸。”

“不要理他们。”大胖子稳笃笃地说，“我自有人选。”

大胖子轻蔑地扫了眼孙、刘之辈：“这帮鸟人，对待他们的最好办法就是臊着他们。”

“哎哟，青天大老爷呀，我们坛子胡同全体居民感谢您救我们出苦海出火坑出地狱。”

坛子胡同口，元豹妈领着全体百姓跪迎在尘埃里。大胖子骑着马笑眯眯地走进胡同，翻身下马，搀起老太太招呼着大家：

“都起来都起来，这是干什么？不要这样，我是你们的子弟，是你们的仆人，我就是为你们做主撑腰的，何必要谢。”

元豹妈念念有词地又哭又唱着，向大胖子致词，“敬爱的英明的亲爱的先驱者开拓者设计师明灯火炬照妖镜打狗棍爹妈爷爷奶奶老祖宗老猿猴老太上老君玉皇大帝观音菩萨总司令，您日理万机千辛万苦积重难返积劳成疾积习成癖肩挑重担腾云驾雾天马行空扶危济贫匡扶正义去恶除邪祛风湿祛虚寒壮阳补肾补脑补肝调胃解痛镇咳止喘通大便，百忙中却还亲身亲自亲临莅临降临光临视察观察纠察检查巡查探查侦查查访访问询问慰问我们胡同，这是对我们胡同的巨大关怀巨大鼓舞巨大鞭策巨大安慰巨大信任巨大体贴巨大荣光巨大抬举。我们这些小民昌民黎民贱民儿子孙子小草小狗小猫群氓愚众大众百姓感到十分幸福十分激动十分不安十分惭愧十分快活十分雀跃十分受宠若惊十分感恩不尽十分热泪盈眶十分心潮澎湃十分不知道说什么好，千言万语千歌万曲千山万海千呻万吟千嘟万哝千词万字都汇成一句响彻云霄声嘶力竭声震寰宇绕梁三日振聋发聩惊天动地悦耳动听美妙无比令人心醉令人陶醉令人沉醉令人三日不知肉味儿的时代最强音：万岁万岁万万岁万岁万岁万万岁！”

元豹妈一口气没上来，白眼一翻昏过去了。李大妈站出来接着打机枪似的说：

“没有您我们至今还在黑暗中昏暗中灰暗中灰尘中灰堆中灰烬中土堆中土坑中土洞中山洞中山涧中山沟中深渊中汤锅中火坑中油锅中苦水中扑腾折腾翻腾倒腾踢腾……”

李大妈一口气没上来，白眼一翻昏了过去。元凤又站出来接着说：

“您是光明希望未来理想旗帜号角战鼓胜利成功骄傲自豪凯旋天堂佛国智者巫师天才魔术师保护神救世主太阳月亮星辰光芒光辉光线光束光华……”

元凤白眼一翻昏了过去。黑子又接过元凤的话头说下去：

“大力神鹰隼狮虎铜头金脸钢腿铁腕霹雳拳头大炮导弹柱石墓石长城关隘。没有您我们得冻死饿死打死骂死吵死闹死烧死淹死吊死摔死让人欺负死……”

“好啦好啦。”大胖子和蔼地笑着说，“别说了，再说你也要昏过去了。好话恭维话奉承话颂扬话夸赞话我听多了，就是你们全胡同人都累死也说不完——我不稀罕。我希望你们不要自轻自贱。如果你们真想让我高兴，就该自个儿管好自个儿，能做到这点就是对我的最大安慰。”

“您可不能不管我们。”黑子流着泪说，“我们不能没您。您是青天，我们是草地，没有天哪有地？草地也需要人管浇水除草修剪，这活儿我们自己都干不了。再者说我们也让人管惯了。让我们自个儿当家，没人吆喝踢着打着赶着，我们是饭也不会吃水也不会喝觉也不会睡屎也不会拉——全失禁了。”

“您可千万不能不管我们。”坛子胡同的居民都跪了下去，齐声说，“我们愿意让您骑着打着骂着鞭子抽着。只要您高兴您尽管使唤我们驱赶我们践踏我们。只要您不高兴您尽管惩罚我们羞辱我们拿我们出气。谁要敢说一个‘不’字，甭劳您动手，我们自个儿就把他收拾了。您尽管任意对待我们,可千万别提一个‘走’字。”

“起来吧。”大胖子长叹一口气，“其实，我哪舍得丢下你们不管。”

唐元豹小碎步软底鞋风风火火走着急场，两只手掏来舞去，随着每一次出掌发出声声娇叱，他肩斜着腰拧着屁股蛋子一上一下推挤着走得是四蹄生风。渐渐地，他两只小脚轻盈了，一下下地蹬空了，人离了地，在空中继续走着舞着，似有乘风而去之意。他陶醉在这突然失了重的轻快之中，拳法打得是越来越和谐越来越有章法，几可见当年之孔武、勇猛、密不透风——大胖子用手拎着他，像江湖艺人拎着只牵线木偶。

围观的坛子胡同居民齐声叹道:“这孩子算废了。”

“也不能说培养他就不对。”李大妈说，“经倒是一部好经，生是让这帮和尚给念歪了。”

大胖子把元豹往地上一丢，元豹借着惯性仍走着舞着，一副执迷不悟的样子。

大胖子面露忧戚，似也为元豹惋惜、扼腕。对元豹妈元凤说：“想吃什么就给他做点什么，都随着他点。这么年轻，偏走了这条道，让人痛心呀。”

“我们这孩子就没救了吗？”元豹妈淌着泪说,“求大仙指点。”

“治得了病治不了命。”大胖子说,“师傅领进门，修行在个人；学好三年，学坏三天；我是无力让你们人人修成正果的。好自为之吧。你们也不要太难过，他当算自绝于人民。”

大胖子去了，骑着大白马，驾起一朵五色祥云，空中似传来阵阵仙乐。众居民侧耳谛听，却又听不见了。

元豹此刻也停止舞蹈，傻呵呵地站在那儿瞅着大家：

“来个‘好儿’嘿。”

“好，好。”众街坊一阵心酸鼻痒，“好儿”未出口，泪已湿襟。

“孩子。”元豹妈哽咽地说，“就别奓翅了，安下心来过日子吧。赶明儿再把咱家那辆三轮拾掇拾掇，你和你妹蹬着它去车站拉座。”

“用我的吧。”黑子推来一辆三轮，“元豹哥那辆不早被那帮博物馆的零卖了吗。”

“试试，孩子，骑上去蹬两圈。”元豹妈擦着泪说，“唬人的家伙没了，吃饭的家伙还好使不？”

元豹喜滋滋地骗腿上车，一通乱蹬乱扭，车纹丝未动。他蹬车仍不忘花活儿，只求腿脚姿势好看，节奏仍是芭蕾的节奏，前后使的劲儿都互相抵消了——他拿车当棍儿使了。

“他大妈，甭难过。”李大妈见状安慰元豹妈，“甭难为孩子了，就当他还小呢。”

元豹在车上猴似的一刻不停，摸摸弄弄，抓耳挠腮，扮着鬼脸。

“这孩子傻了。”众居民齐声叹道，“由他去吧。”

“现在开始宣判，被告人起立……”

审讯室里，天已经亮了，第一道光线射进室内，灯仍开着，审讯的和被审讯的脸都绿了，一脸不耐烦。

秃头胖子拿着一张宣判书，眼睛瞟着垂手侍立的唐老头儿，一字一板地念着：

“唐国涛，男，一百一十一岁，捕前住坛子胡同35号。

“该犯思想一贯反动，语多放肆。该犯于一八九九年混入义和团队伍，在战斗中临阵退缩，思想开小差，且想入非非，贻误战机，导致北洼之战失利。后又养子不教，纵子行凶，招摇撞骗，在社会上造成了很坏的影响，毒害青年，传播荒诞迷信；侮辱妇女，诽谤中伤知识分子；种种罪行不一而足，是可忍孰不可忍。不要利用我们宽容大度，利用我们的善良好心。对这种害群之马必须绳之以法，唤起群众，辨明是非。这个人很坏！原谅……还是不原谅——不原谅！

“谁要认为我们软弱可欺就错了！

“天网恢恢，疏而不漏！

“人们啊，你们要警惕！

“以上犯罪事实，该犯均供认不讳。

“本人认定。唐犯对轰轰烈烈的义和团运动失败负有不可推卸的责任。

“为维护法纪的尊严，为保护人民的利益，为平息社会上的飞短流长，为改革大业的马到成功，为子孙后代的幸福安宁，特判决如下：

“判处唐国涛无期徒刑，剥夺政治权利终身。

“此判决为终审判决，不得上诉。”

宣判完毕。

第二十五章

瑜伽功的音乐中，元豹出现在日本札幌的体育馆中。

场中央搭了个用绳子拦起来的比赛台。四周看台上坐满各种肤色的外国人，纷纷举着各国国旗。不同肤色的各国少女组成拉拉队在赛场四周跳着扭着喊着唱着。喇叭呜咽，鼓声震天——比赛实况通过卫星向全世界转播。

大胖子坐在办公室里看着电视。

赵航宇坐在家里看着电视。

白度坐在飞机上看着电视。

刘顺明、孙国仁坐在火车上看着电视。

审讯员、秃头胖子嘴里含糖看着电视。

唐老头儿坐在牢房里看着电视。

大学的姑娘们坐在阶梯教室里看着电视。

坛子胡同的居民们挤坐在唐家小院看着电视。

街上的行人们站在电器商店的柜台前看着电视。

股东们、主持人坐在舞台上看着电视。

全国人民都在看电视。千家万户的电视屏幕上都是同一个画面：札幌比赛场地的彩色的黑白的二十寸的十四寸的清晰的雪花闪烁的用绳子拦着的比赛台。

…………

唐元豹穿着举重服出场了，不同肤色的不同块头的不同嘴脸的外国选手和他站在一起。向四周看台欢呼的观众挥手致意，微笑着，送着飞吻。鲜花从四周看台纷纷扬扬地扔下来……

裁判员穿着白色的裁判服进入赛场，在赛台四周各自的位置上坐好。

正在计时的巨型电子石英钟上的暗绿色数字同时都变为 0，接着开始从后一位数上急速地增加……

比赛开始的锣声响了。

几个彪形大汉每人手拿一根绳子走上比赛台，同时动手将选手们翻倒，骑在身上左一道右一道地捆起来。

元豹第一个被四马攒蹄地捆好，高高举起来。接着，其他选手也被捆好，举起来。

元豹被捆得最小，最紧，没用的绳子最多，脸上的笑容最坦然最惬意。

他理所当然地获得了最高分：9.95 分。

第二个单项是所有选手扛着一个骑在他们脖子上的大汉按照骑手的命令做规定动作的自选动作。

元豹又是最出色的，他不但能扛着比他重一倍的壮汉像马一样跑像狗一样爬像羊一样咩咩叫，还能撒娇劈叉足尖舞，任骑手怎么颠怎么打怎么捶怎么揪脸上始终带着微笑，坦然惬意甚至有几分感激的微笑。

自选动作时他更是使其他选手难以望其项背。他津津有味地喝了一泡骑手撒的尿，解渴生津意犹未尽翘起大拇指称赞。

他又获得了最高分：9.96分。

大汉们拿着一柄银光闪闪的长针走上赛台，将针残忍地轮番扎进选手的十个手指。有人当场忍不住叫喊起来，退出了比赛。其他选手虽然咬牙瞪眼地按捺着，但已是汗流浃背，肌肉痉挛，唯独元豹依旧笑容可掬，温情地望着扎他的人，那眼光中颇有几分鼓励和勉慰，似乎是更怕对方坚持不住。

当大汉们把扎在选手们胸部的针通上电时，所有选手都抽搐着，目眦迸裂，七窍出血，形容狰狞，毛发倒竖。元豹却只是鼻尖上浸出些汗珠儿，笑容依旧，甚至闭上眼睛像经受某种快感似的细细品味着。

他又一次获得了最高分：9.97分。

一块烧红的铁板被抬了上来，每个选手都赤脚站了上去，铁板上立刻冒出一缕缕青烟，像煎肉一样嗞嗞响着。

又有两个选手不胜折磨，号叫着、哭泣着踉跄退下，离了铁板仍在不停地号叫哭泣。

剩下的选手或一动不动，用自己的体温使局部的高温降低，或像捞在网里的虾一样乱蹦乱跳，竭力减少每只脚在烧红的铁板上的停留时间。

元豹胜似闲庭信步，举着手在铁板上踱着，哪块红就站到哪里，俟红稍转暗，便挪步站到更红更亮的地方。他的脚黑了，可脸红了。人像喝了酒似的容光焕发。

他又以绝佳的风度和最持久的耐力获得了最高分：9.98分。

一个个巨大的玻璃鱼缸抬了上来，每个选手都跳了进去，沉到水底，像鱼一样游动。水波荡漾，一串串气泡浮上水面，迸碎、破灭。

时间一分一秒过去了，第一个选手浮了上来，像鱼一样大张着嘴喘着气，湿淋淋地沮丧地爬出鱼缸。

又一个选手爬了出来，一脚踢破了鱼缸，沉重白亮的水倾泻而出。裁判向他出示红牌，他冲裁判挥舞着拳头吼叫，被神色黯淡的队友拉开，披上毛巾边叫边嚷怒冲冲地扶着退场。

又一个选手冒了出来……

又一个选手猛的浴水而出……

鱼缸内还剩下几个选手互相注视着，各不相让地坚持。

鱼缸里的水一点点降温，渐渐变得晶莹、透彻，渐渐变得滑稠、脆硬……

在整个水面将要冻结的刹那，其余几个选手破冰而出，他们通红的身体立刻变得黑紫，昏倒在地，被人抬了下去。

冻成冰坨的鱼缸内只剩元豹和另一个选手，他们像琥珀中的苍蝇，凝止着，毫发可鉴。

冰坨一点点化开了，那个选手四肢瘫软地沉了底，被工作人员迅速捞出，现场施行急救。而元豹则重又欢快地摇头摆尾游起来，他身上的碎冰像鳞一样闪闪发光。

9.99分——所有电子记分牌上都打出了同样的分数。

元豹在左右开弓抽自个儿嘴巴。打得又快又狠。其他选手虽然也勉强在打，但无论从技巧熟练程度上和力量使用上他们都远逊于元豹。有的压根儿就打不着——尽管脸也不小。有的一下一下是打了，但不是打歪了就是打上去连红都不红。

元豹的脸已经打成紫茄子了，厚厚的脸皮肿得像纸一样薄一样透明。

10分！

全场骚动起来，报以热烈的掌声。原来为本国选手摇旗呐喊吹喇叭的观众都一面倒地替元豹加起油。拉拉队也全部倒向元豹，用各种语言各种方式为他喝彩欢呼舞蹈歌唱。

元豹充满胜利信心地进行最后一个项目自选动作的比赛。

其他选手有的把猫放进自己扎紧的裤腿中；有的用牙咬着绳子拖动卡车；有的在自己两手上各坠上一个电视机；有的牵出一只老虎，把自己的头放进老虎的血盆大口之中，伸手去挠老虎的痒痒。

元豹出场了，全场立刻安静下来，拉拉队也停止了呐喊歌舞吹号击鼓，千万人的目光集中在元豹身上。

只见他微笑着，从容自在甚至带有几分顽皮地举起一把锋利闪着寒光的剔骨尖刀，仰起脖子，缓缓地在自己的脖子上划了一个弧形，血从整齐的刀口中渗出来。他放下刀，用双手一点点揭开下颏连至两耳的皮，一寸寸小心翼翼一丝不苟地往上撕着。

揭起的脸皮像蝉蜕一样轮廓俱在、完整无损。

他一点点揭着，揭至嘴部，逢到筋肉相连，纠缠不去时便用刀割断那些筋肉，继续往上揭。

场内鸦雀无声，连那些竭力卖弄的选手们也纷纷停了下来，目瞪口呆地瞧着元豹。

揭到眼部时，主裁判上来说：“到此为止吧，你赢了，你当之无愧地获得了冠军。”

元豹依然覆着皮的眼睛看了一眼所有的人，闪烁出一丝笑意，猛地一揭，血肉模糊，一张完整的人脸拎在了他手里。

全场爆发出热烈的掌声和惊叹声，鼓乐齐鸣。

元豹高举着那张毫无生气木无表情橡皮套子般的人脸向全场出示，随后把它扔到一边，面目狰狞、五官模糊地走到一旁。

由于卫星线路的传播故障，所有电视机的伴音突然消失了，画面仍在。

千千万万电视机前的人，只看到比赛场中的观众在喊在跳在沸腾在疯狂地挥舞着手臂，看到元豹在和其他选手及裁判一一握手低低说话，但喊的是什么说的是什么一概听不见。

领奖台上，元豹高高地站在了冠军台上，第二名和第三名分别站在他两旁。

一个老绅士在两个日本姑娘的陪伴下走上来，为他们颁奖。

他把金质奖牌挂到了元豹脖子上，又将一个巨大的金光闪闪的奖杯递给元豹，同他握手，一再鞠躬，看得出是由衷的敬意。

老绅士给第二名第三名发奖时，元豹举起奖杯向四面观众致谢。

日本札幌快讯，我国选手唐元豹在世界忍术大赛中荣获冠军……我国选手唐元豹在世界忍术大赛中荣获冠军……我国选手唐元豹在世界忍术大赛中荣获冠军……

炎热、干燥的城市中，看不到一辆汽车行驶，看不到一个生命活动。商店、办公楼都关着门，上着白色铝合金的栅栏门。太阳在明晃晃地烤着，大街小巷空空荡荡。远处，那无垠刺眼的白灼晴空中升腾起一股细长飘荡的尘柱。这尘柱翻着、旋转着迅速往天空生长着。尘柱上端愈来愈粗，愈来愈大，舒卷漫延开来，形成一个巨大的蘑菇顶，遮天蔽日，浓重浑浊，无情地增生着、分裂着、席卷着，一层层堆积着，像滚开的钢水，像泄漏的泡沫。

城市阴了下来，蘑菇云巨大的阴影在楼厦、街道、住宅区、公园绿地、湖泊水面上掠过。

王朔主要作品年表

【1978年】

《等待》（短篇小说）发表于《解放军文艺》第11期。

【1982年】

《海鸥的故事》（短篇小说）发表于《解放军文艺》第8期。

【1984年】

《空中小姐》（中篇小说）发表于《当代》第2期；

《长长的鱼线》（短篇小说）发表于《胶东文学》第8期。

【1985年】

《浮出海面》（中篇小说）发表于《当代》第6期。

【1986年】

《一半是火焰　一半是海水》（中篇小说）发表于《啄木鸟》第2期；

《橡皮人》（中篇小说）连载于《青年文学》第11、12期。

【1987年】

《杠然不供》（中篇小说）发表于《啄木鸟》第1期；

《人莫予毒》（中篇小说）发表于《啄木鸟》第4期；

《顽主》（中篇小说 ）发表于《收获》第6期。

【1988年】

《痴人》（中篇小说）发表于《芒种》第4期；

《人命危浅》（中篇小说）发表于《蓝盾》；

《毒手》（短篇小说）发表于《警坛风云》；

《我是狼》（短篇小说）发表于《热点文学》；

《各执一词》（短篇小说）发表于《文学故事报》；

中篇小说集《空中小姐》由中国青年出版社出版。

【1989年】

《一点正经没有》（中篇小说）发表于《中国作家》第4期；

《千万别把我当人》（长篇小说）连载于《钟山》第4、5、6期；

《永失我爱》（中篇小说）发表于《当代》第6期；

长篇小说《玩的就是心跳》由作家出版社出版。

【1990年】

《给我顶住》发表于《花城》第6期；

《王朔谐趣小说选》由作家出版社出版。

【1991年】

《我是你爸爸》（长篇小说）发表于《收获》第2期；

《修改后发表》（中篇小说）发表于《小说家》第4期；

《无人喝彩》（中篇小说）发表于《当代》第4期；

《谁比谁傻多少》（中篇小说）发表于《花城》第5期；

《动物凶猛》（中篇小说）发表于《收获》第5期。

【1992年】

《你不是一个俗人》（中篇小说）发表于《收获》第2期；

《懵然无知》（中篇小说）发表于《都市文学》；

《许爷》（中篇小说）发表于《上海文学》第4期；

《过把瘾就死》（中篇小说）发表于《小说界》第4期；

《刘慧芳》（中篇小说）发表于《钟山》第4期；

《千万别把我当人：王朔精彩对白欣赏》（王朔、魏人合著）由人民中国出版社出版；

《过把瘾就死》（著名作家新作大系）、《王朔文集》（纯情卷、矫情卷、谐谑卷、挚情卷）由华艺出版社出版；

《我是王朔》由国际文化出版公司出版。

【1993年】

《海马歌舞厅：四十集电视系列剧》（电视剧本选集）、

《青春无悔：王朔影视作品集》由中国社会科学出版社出版。

【1995年】

《王朔文集》（1—4卷）由华艺出版社出版。

【1998年】

《王朔自选集》由华艺出版社出版。

【1999年】

长篇小说《看上去很美》由华艺出版社出版。

【2000年】

《美人赠我蒙汗药》（对话集）由长江文艺出版社出版；

《王朔最新作品集》由漓江出版社出版；

《无知者无畏》（随笔集）由春风文艺出版社出版。

【2001年】

《文学阳台——文学在中国》、《美术后窗——美术在中国》、《电影厨房——电影在中国》、《音乐盒子——音乐在中国》等“文化在中国”网站系列丛书由上海文艺出版社出版。

【2003年】

王朔文集（包括《顽主》、《过把瘾就死》、《我是你爸爸》、《玩的就是心跳》、《篇外篇》、《橡皮人》、《千万别把我当人》及《随笔集》）由云南人民出版社出版。

【2007年】

小说集《我的千岁寒》由作家出版社出版；

长篇小说《致女儿书》由人民文学出版社出版；

小说随笔集《新狂人日记》由长江文艺出版社出版。

【2008年】

长篇小说《和我们的女儿谈话》第一部发表于《收获》第1期，并由人民文学出版社出版。

图书在版编目 (CIP) 数据

千万别把我当人 / 王朔著. — 北京 : 北京十月文艺出版社，2016.6

（王朔文集）

ISBN 978-7-5302-1576-0

Ⅰ.①千… Ⅱ.①王… Ⅲ.①长篇小说—中国—当代 Ⅳ.① I247.5

中国版本图书馆 CIP 数据核字（2016）第 057337 号

千万别把我当人

QIANWAN BIE BAWO DANGREN

王 朔 著

出　版　北京出版集团公司

　　　　北京十月文艺出版社

地　址　北京北三环中路 6 号

邮　编　100120

网　址　www.bph.com.cn

发　行　新经典发行有限公司

　　　　电话（010）68423599

经　销　新华书店

印　刷　北京盛通印刷股份有限公司

版　次　2016 年 6 月第 1 版

　　　　2022 年 10 月第 11 次印刷

开　本　850 毫米 ×1168 毫米 1/32

印　张　7.25

字　数　160 千字

书　号　ISBN 978-7-5302-1576-0

定　价　40.00 元

质量监督电话　010-58572393